300 ANS D'ESSAIS AU QUÉBEC

ÉTUDE DES ŒUVRES PAR
ANNIK-CORONA OUELLETTE

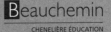

COLLECTION
PARCOURS D'UN GENRE

SOUS LA DIRECTION DE MICHEL LAURIN

Beauchemin
CHENELIÈRE ÉDUCATION

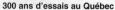

300 ans d'essais au Québec
Choix de textes

Édition présentée, annotée et commentée
par Annik-Corona Ouellette

Collection « Parcours d'un genre »

Sous la direction de Michel Laurin

© 2007, Groupe Beauchemin, Éditeur Ltée

Édition : Sophie Gagnon
Coordination : Nathalie Larose
Collaboration : Alain Vézina
Révision linguistique : Carole Pâquet
Correction d'épreuves : Paul Lafrance
Conception graphique : Josée Bégin
Infographie : Claude Bergeron
Impression : Imprimeries Transcontinental

**Catalogage avant publication
de Bibliothèque et Archives nationales du Québec
et Bibliothèque et Archives Canada**

Vedette principale au titre :

   300 ans d'essais au Québec

   (Collection Parcours d'un genre)
   Comprend des réf. bibliogr.
   Pour les étudiants du niveau collégial.

   ISBN 978-2-7616-4705-2

   1. Idées politiques – Québec (Province) – Histoire.   2. Essais
québécois – Histoire et critique.   3. Littérature et société – Québec
(Province).   4. Québec (Province) – Histoire.   I. Ouellette, Annik-
Corona, 1975-   .   II. Titre : Trois cents ans d'essais au Québec.
III. Collection.

FC2920.I3T76 2007   320.509714   C2007-940456-1

Beauchemin

CHENELIÈRE ÉDUCATION

7001, boul. Saint-Laurent
Montréal (Québec)
Canada H2S 3E3
Téléphone : 514 273-1066
Télécopieur : 514 276-0324
info@cheneliere.ca

ISBN 978-2-7616-4705-2

Dépôt légal : 2e trimestre 2007
Bibliothèque et Archives nationales du Québec
Bibliothèque et Archives Canada

Imprimé au Canada

2 3 4 5 6 ITG 14 13 12 11 10

Nous reconnaissons l'aide financière du gouvernement du Canada
par l'entremise du Programme d'aide au développement de l'industrie de l'édition (PADIÉ) pour nos activités d'édition.

REMERCIEMENTS

Je dédie ce recueil à mes collègues qui, autour de la grande table du Département de français du cégep de Saint-Jérôme, refont quotidiennement le monde par leur passion des idées et des lectures :

Jacques Beaudry, Claudine Bernier, Julie Blanchette, Geneviève Brunet, Marie Carrière, Hubert Cotton, Isabelle Daboval, Nancy Desjardins, François Guénette, Claude Lavoie, Marie-Renée Lavoie, Monique Pariseau, Mélanie Plourde, Serge Provencher, Jean-François Quirion, Nathalie Prud'Homme, Brigitte Roy, Chantale Savard, Sophie Trahan, Josée Veilleux.

Avec toute ma reconnaissance
Annik-Corona Ouellette

TABLE DES MATIÈRES

C. W. Jefferys, *Papineau s'adressant à ses partisans*.

INTRODUCTION

Petit peuple qui pense grand

> « J'ai pour matrie la terre, et Kébèk est
> est mon point d'attache à la matrie·terrestre. »
> Paul Chamberland, *Terre souveraine*, 1980.

En dignes disciples de Montaigne, les Québécois prennent la parole plus que jamais. De gré, parfois de force, par la plume ou par la voix, ils reprennent depuis trois siècles et avec une sincérité désarmante la célèbre formule cartésienne : Nous pensons, donc nous sommes ! L'ego québécois étant pluriel, il semble normal qu'au « je » si caractéristique de l'essai, de la pensée, de l'opinion, se soit substitué le « nous », symbole grammatical d'une nation distincte. Les idées se sont présentées, il est vrai, avec un certain décalage. Le sentiment patriotique — ou plutôt l'amertume de la défaite, l'étiquette de « peuple conquis » — a longtemps miné l'évolution du Québec. Ce repli sur soi, sur la terre et la religion, s'observe particulièrement en littérature. Alors que Baudelaire fait paraître ses *Fleurs du mal* en 1857, Crémazie prépare ici *Le drapeau de Carillon*. Un peu plus tard, en 1862, au moment même où la France salue le génie de Victor Hugo dans *Les Misérables*, les Canadiens français s'identifient à *Jean Rivard, le défricheur* d'Antoine Gérin-Lajoie. Et au palmarès de l'année littéraire 1922, *L'appel de la race* de Lionel Groulx fait bien piètre figure aux côtés du très singulier *Ulysse* de James Joyce. L'essai québécois suit le même parcours en accusant souvent 25 ans de « retard ». En 1924, André Breton non seulement envisage l'avenir dans son *Manifeste du surréalisme* : il le modernise. À la même époque, Lionel Groulx, lui, contemple et fixe l'histoire dans *Notre maître, le passé*. Il faudra attendre Borduas et les Automatistes en 1948 pour décaper le Québec de son vernis conservateur. Et la relève d'aujourd'hui suit bien leur exemple : l'idée germe où elle est entendue. Même la musique devient réflexion. Loco Locass, populaire groupe de rap engagé, dissèque l'identité québécoise et cerne tous ses paradoxes : « Pas de chicane dans ma cabane/Au Canada, c'est comme ça/Ni OUI Ni NON/Manie d'un nous mou, moumoune et minable/Incapable de choisir entre le lys et l'érable. » Preuve que l'essai, parce qu'il est tentative et expérience, est à la portée de toutes les consciences.

Louis Watteau, *Mort du général Montcalm*, vers 1760.

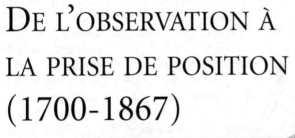

DE L'OBSERVATION À LA PRISE DE POSITION (1700-1867)

INTRODUCTION

Le Québec, aux premiers de ses jours, est nommé Nouvelle-France. Il est donc légitime que ses premiers observateurs soient originaires de la mère patrie. Héritier d'une famille noble mais ruinée, Louis Armand de Lom d'Arce, baron de La Hontan, poussé par son esprit aventurier, libertin et téméraire, s'engage à 17 ans comme militaire dans les troupes que Louis XIV envoie en Amérique pour mater les Iroquois des Grands Lacs. Arrivé à Québec en novembre 1683, il passe tout l'hiver sur la côte de Beaupré, profitant ainsi de son séjour forcé pour examiner les mœurs des habitants de cette Nouvelle-France. Dans un journal, il consigne presque quotidiennement ses réflexions avec la minutie d'un ethnographe et le ton railleur d'un authentique écrivain. Ce style sarcastique lui vaudra d'ailleurs autant d'éloges que de critiques. Ses récits de voyages, publiés au début du XVIIIe siècle, le rendront célèbre dans toute l'Europe. Parce que son œuvre glorifie le mode de vie amérindien et dénonce la barbarie des colonisateurs, La Hontan est traditionnellement perçu comme le précurseur du mythe du «bon sauvage», si cher aux philosophes des Lumières. Moins colorées que celles du baron, les descriptions du père jésuite François-Xavier de Charlevoix abordent tant la géographie de la colonie française que la psychologie des différents peuples qui y cohabitent au moment où il écrit ses notes, en 1722. Ses remarques sur la langue parlée alors demeurent essentielles aujourd'hui pour comprendre l'évolution de la langue québécoise. En 1757, Bougainville, explorateur et militaire français ayant combattu aux côtés de Montcalm, partage son avis, car il constate également que «leur accent est aussi bon qu'à Paris», parlant bien sûr des habitants de la Nouvelle-France. L'essai historique sert donc de premier compte rendu de la nation québécoise, façonnant sa genèse, servant ainsi de référence pour les générations futures.

Historien national, François-Xavier Garneau fonde une véritable mythologie canadienne lorsque paraît le premier tome de son œuvre maîtresse en 1845. Son ami, le premier ministre Pierre Joseph Olivier

Chauveau, admire la grande valeur symbolique et patriotique de son œuvre colossale : « Il voulut avant tout effacer les injurieuses expressions de race conquise, de peuple vaincu. Il voulut faire voir que, dans les conditions de la lutte, notre défaite fut moralement l'équivalent d'une victoire », a-t-il affirmé en 1867. Suivant la pensée des encyclopédistes, Garneau a privilégié le progrès et la liberté plutôt que l'ignorance et la superstition, rendant aux Canadiens français leur dignité doublement bafouée par la Conquête de 1760 et le fatal échec des Patriotes. Cette nation dont l'identité a été opprimée par le conquérant anglais fera entendre sa voix, celle qui soulevait les foules par la seule puissance de ses discours, celle du « lutteur irréductible » comme l'appelait Lionel Groulx : Louis Joseph Papineau. Dès 1830, le nationalisme actif a investi non seulement la politique, mais bien toutes les sphères sociales du Bas-Canada. L'association des Fils de la Liberté, qui comptait plus de 2 000 membres à Montréal seulement, fait paraître son manifeste le 4 octobre 1837, réclamant un gouvernement républicain. Les Fils de la Liberté affronteront le *Doric Club* le 6 novembre dans une bagarre qui marquera considérablement l'imaginaire québécois. Ensuite, les signataires du manifeste seront emprisonnés le 16 novembre et jugés coupables de haute trahison. Le 15 février 1839, le vaillant Chevalier de Lorimier est pendu pour les mêmes raisons, selon la sentence du procès des Patriotes de 1837-1838. Les journalistes Étienne Parent et Arthur Buies revendiqueront à leur tour le droit à l'expression et le feront très souvent avec des propos incendiaires. Les écrivains ne sont certes pas en reste, car en 1850, dans la librairie d'Octave Crémazie, l'abbé Casgrain, François-Xavier Garneau, les poètes Louis Fréchette et Pamphile Le May se réunissent en poursuivant le même objectif : prouver à Lord Durham qu'il a eu tort de considérer les Canadiens français comme « un peuple sans histoire et sans littérature ». Cette période trouble donnera raison au seigneur de Boucherville et député Bleury (1798-1862), farouche adversaire de Papineau, qui définit le Canada comme un pays où deux nations « se croisent, se contrarient et s'entrechoquent ».

Tableau chronologique (1534-1867)		
ÉVÉNEMENTS SOCIO-HISTORIQUES AU QUÉBEC	ÉVÉNEMENTS LITTÉRAIRES ET CULTURELS AU QUÉBEC	ESSAIS PUBLIÉS AU QUÉBEC
1534 Découverte de la Nouvelle-France.		
1697 Traité de Ryswick signé entre la France et l'Angleterre : la Nouvelle-France s'étend de la baie d'Hudson jusqu'au golfe du Mexique.		
1702 Signature de la « Paix de Montréal » avec les Cinq Nations iroquoises.		
1703 Philippe de Rigaud, marquis de Vaudreuil, gouverneur jusqu'en 1725.		
1704		Baron de La Hontan, *Nouveaux voyages en Amérique septentrionale* [texte publié hors du Québec].
1726 Charles de La Boische, marquis de Beauharnois, gouverneur jusqu'en 1747.		
1735 Inauguration du chemin du Roy.		
1744		François-Xavier de Charlevoix, *Histoire et description générale de la Nouvelle-France* [texte publié hors du Québec].
1748 François Bigot, intendant jusqu'en 1760.		
1749 Jacques-Pierre de Taffanel, marquis de La Jonquière, gouverneur jusqu'en 1952.		
1755 Pierre de Rigaud, marquis de Vaudreuil, gouverneur jusqu'en 1760.		

Tableau chronologique (1534-1867)			
ÉVÉNEMENTS SOCIO-HISTORIQUES AU QUÉBEC	ÉVÉNEMENTS LITTÉRAIRES ET CULTURELS AU QUÉBEC	ESSAIS PUBLIÉS AU QUÉBEC	
Bataille des plaines d'Abraham et victoire des troupes anglaises. Mort de Wolfe et de Montcalm.			1759
Traité de Paris. Fin du régime français. James Murray, premier gouverneur de la province de Québec. Proclamation royale. Pendaison de Marie-Josephte Corriveau.			1763
	Introduction de l'imprimerie au Canada, à Québec.		1764
Guy Carleton, baron de Dorchester, gouverneur.			1768
Acte de Québec.			1774
Tentative d'invasion par les Américains.			1775
	Fondation de *La Gazette littéraire de Montréal*.		1778
Arrivée de nombreux loyalistes à la suite de l'indépendance américaine.		Les Fils de la Liberté, *Manifeste*.	1783
	Fondation du journal bilingue *La Gazette de Montréal/The Montreal Gazette*.		1785
Acte constitutionnel divisant le Canada en deux provinces : le Haut et le Bas-Canada.			1791
Premières élections au Québec.			1792
Robert Prescott, gouverneur jusqu'en 1807.			1796

Tableau chronologique (1534-1867)		
	ÉVÉNEMENTS SOCIO-HISTORIQUES AU QUÉBEC	**ÉVÉNEMENTS LITTÉRAIRES ET CULTURELS AU QUÉBEC**	**ESSAIS PUBLIÉS AU QUÉBEC**
---	---	---	---
1806		Fondation du journal patriote *Le Canadien*.	
1807	Sir James Henry Craig, gouverneur jusqu'en 1811.		
1810		Arrestation des propriétaires du journal *Le Canadien*.	
1811	Sir George Prevost, gouverneur jusqu'en 1815.		
1824		Fondation de la Société littéraire et historique de Québec.	
1826	Louis Joseph Papineau, chef du Parti patriote.	Fondation du journal *La Minerve*.	
1830		Michel Bibaud, *Épîtres, satires, chansons, épigrammes et autres pièces de vers*.	
1834		Fondation de la Société Saint-Jean-Baptiste.	
1837	Révolte des Patriotes jusqu'en 1838.	Philippe Aubert de Gaspé fils, *L'influence d'un livre*.	
1839	Rapport Durham. Pendaison de douze patriotes.		Chevalier de Lorimier, *Testament politique*.
1842		Antoine Gérin-Lajoie, *Un Canadien errant*. Fondation de la Librairie Beauchemin.	
1844		Antoine Gérin-Lajoie, *Le jeune Latour*. Fondation de l'Institut canadien de Montréal.	
1845			François-Xavier Garneau, *Histoire du Canada*.

Tableau chronologique (1534-1867)			
ÉVÉNEMENTS SOCIO-HISTORIQUES AU QUÉBEC	ÉVÉNEMENTS LITTÉRAIRES ET CULTURELS AU QUÉBEC	ESSAIS PUBLIÉS AU QUÉBEC	
	Fondation du journal anticlérical *L'Avenir*.		1847
	James Huston, *Répertoire national*.		1848
	Fondation de l'Institut canadien de Québec.		1849
		Étienne Parent, *Discours prononcés devant l'Institut canadien de Montréal*.	1850
	Fondation de la Société historique de Montréal. Octave Crémazie, *Le drapeau de Carillon*.		1858
Construction du parlement de Québec.	Fondation du Mouvement littéraire de Québec.		1860
	Fondation de la revue *Soirées canadiennes*. Henri-Raymond Casgrain, *Légendes canadiennes*.	Henri-Raymond Casgrain, « Rôle de notre littérature », *Œuvres complètes*.	1861
	Antoine Gérin-Lajoie, *Jean Rivard, le défricheur canadien*. Louis Fréchette, *Félix Poutré*.		1862
	Philippe Aubert de Gaspé père, *Les anciens Canadiens*.		1863
	Fondation de la revue *Foyer canadien*. Fondation de *La Revue canadienne*.	Arthur Buies, *Lettres sur le Canada*.	1864
	Pamphile Le May, *Essais poétiques*.	Octave Crémazie, *Lettres à l'abbé Casgrain*, jusqu'en 1867.	1865
	Philippe Aubert de Gaspé père, *Mémoires*.		1866

Baron de **LA HONTAN**

(1666-1716)

L'envoi des filles publiques de France en ce païs-là, son climat et son terrain

Nouveaux voyages de M. le Baron de La Hontan dans l'Amérique septentrionale
1704

1   La plupart de ces habitants sont des gens libres qui ont passé de France ici avec quelque peu d'argent pour commencer leurs établissements. D'autres qui, après avoir quitté le métier de la guerre il y a trente ou quarante ans lorsque le régiment de Carignan fut cassé,
5 embrassèrent celui de l'agriculture. Les terres ne coûtèrent rien ni aux uns ni aux autres, non plus qu'aux officiers de ces troupes qui choisirent des terres incultes couvertes de bois (car tout ce vaste continent n'est qu'une forêt). Les gouverneurs généraux leur donnèrent des concessions, pour trois ou quatre lieues[1] de front et de la profon-
10 deur à discrétion. En même temps, ces officiers accordèrent à leurs soldats autant de terrain qu'ils souhaitèrent, moyennant un écu[2] de fief[3] par arpent[4]. Après la réforme de ces troupes on y envoya de France plusieurs vaisseaux chargés de filles de moyenne vertu, sous la direction de quelques vieilles béguines[5] qui les divisèrent en trois
15 classes. Ces vestales étaient pour ainsi dire entassées les unes sur les autres en trois différentes salles, où les époux choisissaient leurs

---

1. Lieue : ancienne mesure de distance qui correspond à environ 4 kilomètres.
2. Écu : ancienne monnaie qui portait sur l'une de ses faces le blason de la France. En héraldique, un écu est également la forme en bouclier sur laquelle sont dessinées ou gravées les armoiries d'une famille, d'un pays.
3. Fief : dans un régime féodal, territoire octroyé par un seigneur à son vassal en échange d'argent ou de services.
4. Arpent : mesure de superficie correspondant à environ 3 419 mètres carrés.
5. Béguines : religieuses reconnues pour leur pudeur et leur dévotion. Elles adoptent le mode de vie du couvent sans pourtant avoir prononcé leurs vœux.

épouses de la manière que le boucher va choisir les moutons au milieu d'un troupeau. Il y avait de quoi contenter les fantasques dans la diversité des filles de ces trois sérails, car on en voyait de grandes,
20 de petites, de blondes, de brunes, de grasses et de maigres ; enfin chacun y trouvait chaussure à son pied. Il n'en resta pas une au bout de quinze jours. On m'a dit que les plus grasses furent plutôt enlevées que les autres, parce qu'on s'imaginait qu'étant moins actives, elles auraient plus de pëine à quitter leur ménage, et qu'elles résisteraient
25 mieux au grand froid de l'hiver, mais ce principe a trompé bien des gens. Quoi qu'il en soit, on peut ici faire une remarque assez curieuse. C'est qu'en quelque partie du monde où l'on transporte les plus vicieuses Européennes, la populace d'outre-mer croit à la bonne foi que leurs péchés sont tellement effacés par le baptême ridicule dont
30 je vous ai parlé [1], qu'ensuite elles sont sensées filles de vertu, d'honneur, et de conduite irréprochable. Ceux qui voulaient les marier s'adressèrent à ces directrices auxquelles ils étaient obligés de déclarer leurs biens et leurs facultés, avant que de prendre dans une de ces classes celles qu'ils trouvaient le plus à leur gré. Le mariage se con-
35 cluait sur-le-champ par la voix du prêtre et du notaire, et le lendemain le gouverneur général faisait distribuer aux mariés un bœuf, une vache, un cochon, une truie, un coq, une poule, deux barils de chair salée, onze écus avec certaines armes que les grecs appellent *keras* [2]. Les officiers, plus délicats que leurs soldats, s'accommodaient
40 des filles des anciens gentilshommes du pays ou des plus riches habitants, car il y a près de cent ans, comme vous savez, que les Français possèdent le *Canada*. Tout le monde y est bien logé et bien meublé, la plupart des maisons sont de bois à deux étages ; les cheminées sont extrêmement grandes, car on y fait des feux prodigieux pour se
45 garantir du froid qui est excessif depuis le mois de décembre jusqu'en avril. Le fleuve ne manque jamais d'être gelé durant ce temps-là, malgré le flux et le reflux de la mer, et la terre est aussi couverte de trois

---

1. Un rite initiatique était imposé aux passagers des bateaux naviguant devant Terre-Neuve, un peu comme un baptême du Nouveau-Monde.

2. *Keras* : couteau dont le manche était fait de corne travaillée, d'après la racine grecque *keras*, « corne ».

ou quatre pieds[1] de neige, ce qui paraît surprenant pour un pays situé au 47ᵉ degré de latitude et quelques minutes[2]. La plupart des
50 gens l'attribuent à la quantité de montagnes dont ce vaste continent est couvert. Quoi qu'il en soit, les jours y sont en hiver plus longs qu'à Paris, ce qui me paraît extraordinaire. Ils sont si clairs et si sereins qu'il ne paraît pas en trois semaines un nuage sur l'horizon. Voilà tout ce que je puis vous apprendre jusqu'à présent. J'espère d'aller à
55 Québec au premier jour, ayant ordre de me tenir prêt à m'embarquer dans quinze jours pour faire voile à *Monreal*, qui est la ville du pays la plus avancée vers le haut du fleuve.

À la Côte de Beaupré, le 2 mai 1684

C.W. Jefferys, *L'arrivée des filles du Roy à Québec, 1667.*

---

1. Pied : ancienne unité de mesure de longueur valant un peu plus de 32 centimètres.
2. Minute : unité de mesure d'angle, sous-multiple du degré. Un degré vaut soixante minutes (1° vaut 60').

François-Xavier de CHARLEVOIX

(1682-1761)

LES CANADIENS

Journal historique
1744

HISTOIRE

1   Les Canadiens respirent en naissant un air de liberté qui les rend
fort agréables dans le commerce de la vie, et nulle part ailleurs on ne
parle plus purement notre langue. On ne remarque même ici aucun
accent. On ne voit point en ce pays de personnes riches, et c'est bien
5   dommage, car on y aime à se faire honneur de son bien, et personne
presque ne s'amuse à thésauriser [1]. On fait bonne chère, si avec cela
on peut avoir de quoi se bien mettre ; sinon, on se retranche sur la
table pour être bien vêtu. Aussi faut-il avouer que les ajustements [2]
font bien à nos Créoles [3]. Tout est ici de belle taille, et coule le plus
10   beau sang du monde dans les deux sexes ; l'esprit enjoué, les manières
douces et polies sont communs à tous ; et la rusticité, soit dans le langage, soit dans les façons, n'est pas même connue dans les campagnes
les plus écartées.

Il n'en est pas de même, dit-on, des Anglais nos voisins [4]. Et qui ne
15   connaîtrait les deux colonies que par la manière de vivre, d'agir et de
parler des colons, ne balancerait pas à juger que la nôtre est la plus flo-
rissante. Il règne dans la Nouvelle-Angleterre une opulence dont il
semble qu'on ne sait point profiter ; et dans la Nouvelle-France une

---

1. Thésauriser : amasser des trésors.
2. Ajustements : vêtements.
3. Créoles : colons des Antilles. Personnes de race blanche nées à l'étranger : ce terme était parfois
utilisé par analogie pour désigner les habitants de la Nouvelle-France.
4. Les Anglais nos voisins : les Anglais des treize colonies de la Nouvelle-Angleterre, située au sud
de la Nouvelle-France.

pauvreté cachée par un air d'aisance qui ne paraît point étudié. Le
20 commerce et la culture des plantations fortifient la première, l'industrie[1] des habitants soutient la seconde, et le goût de la nation y répand
un agrément infini. Le colon anglais amasse du bien et ne fait aucune
dépense superflue ; le Français jouit de ce qu'il a et souvent fait parade
de ce qu'il n'a point. Celui-là travaille pour ses héritiers ; celui-ci laisse
25 les siens dans la nécessité où il s'est trouvé lui-même de se tirer
d'affaire. Les Anglais américains ne veulent point de guerre parce
qu'ils ont beaucoup à perdre ; ils ne ménagent point les Sauvages parce
qu'ils ne croient point en avoir besoin. La jeunesse française, par des
raisons contraires, déteste la paix et vit bien avec les Naturels du pays
30 dont elle s'attire aisément l'estime pendant la guerre et l'amitié en tout
temps.

   Nous ne connaissons point au monde de climat plus sain que celui-
ci : il n'y règne aucune maladie particulière, les campagnes et les bois
y sont remplis de simples merveilles, et les arbres y distillent des baumes
35 d'une grande vertu. Ces avantages devraient bien au moins y retenir
ceux que la Providence y a fait naître ; mais la légèreté, l'aversion d'un
travail assidu et réglé, et l'esprit d'indépendance en ont toujours fait
sortir un grand nombre de jeunes gens et ont empêché la colonie de se
peupler. Ce sont là les défauts qu'on reproche le plus et avec le plus de
40 fondement aux Français canadiens. On dirait que l'air qu'on respire
dans ce vaste continent y contribue, mais l'exemple et la fréquentation
de ses habitants naturels, qui mettent tout leur bonheur dans la liberté
et l'indépendance, sont plus que suffisants pour former ce caractère.
Ils ont beaucoup d'esprit, surtout les personnes du sexe[2] qui l'ont fort
45 brillant, aisé, ferme, fécond en ressources, courageux et capable de
conduire les plus grandes affaires.

   Je ne sais si je dois mettre parmi les défauts de nos Canadiens la
bonne opinion qu'ils ont d'eux-mêmes. Il est certain du moins qu'elle
leur inspire une confiance qui leur fait entreprendre et exécuter ce qui
50 ne paraîtrait point possible à beaucoup d'autres. Nous n'avons point

---

1. Industrie : habileté, savoir-faire.
2. Les personnes du sexe : les femmes (par ellipse de l'expression « personnes du sexe opposé »).

dans le royaume de province où le sang soit communément si beau, la taille plus avantageuse et le corps mieux proportionné. La force du tempérament n'y répond pas toujours, et si les Canadiens vivent long-temps, ils sont vieux et usés de bonne heure. Ce n'est pas même uni-quement leur faute ; c'est aussi celle des parents qui pour la plupart ne veillent pas assez sur leurs enfants pour les empêcher de ruiner leur santé dans un âge où, quand elle se ruine, c'est sans ressource. Leur agilité et leur adresse sont sans égales : les Sauvages les plus habiles ne conduisent pas mieux leurs canots dans les rapides les plus dangereux et ne tirent pas plus juste.

Comme avec cela ils sont extrêmement braves et adroits, on pour-rait en tirer de plus grands services pour la guerre, pour la marine et pour les arts ; et je crois qu'il serait du bien de l'État de les multiplier plus qu'on n'a fait jusqu'à présent. Les hommes sont la principale richesse du souverain[1], et le Canada, quand il ne pourrait être[2] d'aucune utilité à la France que par ce seul endroit, serait encore, s'il était bien peuplé, une des plus importantes de nos colonies.

Pierre Vander, *Canada ou Nouvelle-France*, 1700-1800.

---

1. Souverain : roi de France. Le long règne de Louis XV débute en 1723 pour se terminer à sa mort en 1774.
2. Quand il ne pourrait être : même s'il n'était.

Étienne PARENT

(1802-1874)

POLITIQUE

Défense du journalisme

Le Canadien
7 mai 1831

1   Mériterons-nous de devenir le rebut des peuples, un troupeau
d'esclaves, les serfs de la glèbe, que nous tournerons au profit de qui-
conque voudra se rendre notre maître ? C'est pourtant le sort qui
nous est réservé, si nous ne prenons pas le seul moyen que nous

5 avons de nous y soustraire qui est d'apprendre à nous gouverner
nous-mêmes. Point de milieu : si nous ne gouvernons pas, nous
serons gouvernés… Qui est celui d'entre vous qui voudrait confier la
conduite de ses affaires domestiques à son voisin ? Vous craindriez
sans doute et avec raison, que votre patrimoine ne fût pillé et diverti [1]

10 par ceux à qui vous en auriez abandonné la régie absolue. Eh bien !
c'est pourtant ce que fait tout homme qui, sous une constitution [2]
comme la nôtre, ne fait aucune attention aux affaires publiques de
son pays. Sous le gouvernement anglais, c'est l'opinion qui fait tout ;
les autorités voudraient en vain récuser son pouvoir, elles sont obli-

15 gées de s'y soumettre. Mais cette opinion ne peut se former que dans
le sein des lumières. De tous les moyens, après celui d'une étude
régulière que ne peuvent faire qu'un petit nombre de personnes, nous

---

1. Diverti : détourné, dilapidé.
2. L'acte constitutionnel de 1791 divise le pays en deux provinces : le Haut-Canada (Ontario) et le
Bas-Canada (Québec). Un gouverneur général, nommé par Londres, administre les deux provinces. Chacune d'elles est composée d'un Conseil exécutif et d'un Conseil législatif, tous les
deux présidés par un lieutenant-gouverneur ; ils sont également tous nommés par Londres.
Seule une Assemblée est élue, dans chaque province, mais elle n'a cependant aucun pouvoir déci-
sionnel.

offrons au public, dans la publication actuelle, le plus efficace et le plus avantageux.

20   Notre politique, notre but, nos sentiments, nos vœux et nos désirs, c'est de maintenir tout ce qui parmi nous constitue notre existence comme peuple et, comme moyen d'obtenir cette fin, de maintenir tous les droits civils et politiques qui sont l'apanage d'un pays anglais. C'est avec ces sentiments que nous nous présentons, c'est dans ces 25   sentiments que nous agirons, c'est avec eux que nous prospérerons ou que nous tomberons.

Nous venons de voir notre langue chassée des tribunaux[1], voyons maintenant nos lois exilées, voyons-nous nous-mêmes repoussés d'une belle portion du pays que nous avons payée de notre sang. 30   Canadiens de toutes les classes, de tous les métiers, de toutes les professions, qui avez à conserver des lois, des coutumes et des institutions qui vous sont chères, permettez-nous de vous répéter qu'une presse canadienne est le plus puissant moyen que vous puissiez mettre en usage.

35   La presse périodique est la seule bibliothèque du peuple. Dans un nouveau pays comme le nôtre, pour que la presse réussisse et fasse tout le bien qu'elle est susceptible de produire, il faut que tous ceux qui en connaissent les avantages s'y intéressent particulièrement, qu'ils s'efforcent de procurer de nouveaux lecteurs ; car le savoir est 40   une puissance et chaque nouveau lecteur ajoute à la force populaire.

---

1. Ce n'est qu'en 1867 qu'une loi officielle autorise l'emploi du français ou de l'anglais dans les débats du Parlement ainsi que dans les procédures devant les tribunaux fédéraux (*Article 133* de l'Acte de l'Amérique du Nord britannique).

Louis Joseph PAPINEAU

(1786-1871)

Discours de Saint-Laurent
15 mai 1837

POLITIQUE

1   Concitoyens,

Nous sommes réunis dans des circonstances pénibles, mais qui offrent l'avantage de vous faire distinguer vos vrais d'avec vos faux amis, ceux qui le sont pour un temps, de ceux qui le sont pour toujours. Nous

5 sommes en lutte avec les anciens ennemis du pays : le gouverneur, les deux conseils, les juges, la majorité des autres fonctionnaires publics, leurs créatures et leurs suppôts que vos représentants ont dénoncés depuis longtemps comme formant une faction corrompue, hostile aux droits du peuple et mue par l'intérêt seul à soutenir un système de gou-

10 vernement vicieux. Cela n'est pas inquiétant. Cette faction, quand elle agira seule, est aux abois. Elle a la même volonté qu'elle a toujours eue de nuire, mais elle n'a plus le même pouvoir de le faire. C'est toujours une bête malfaisante, qui aime à mordre et à déchirer, mais qui ne peut que rugir, parce que vous lui avez rogné les griffes et limé les dents.

15 Pour eux les temps sont changés, jugez de leur différence. Il y a quelques années, lorsque votre ancien représentant, toujours fidèle à vos intérêts et que vous venez de choisir pour présider cette assemblée, vous servait au parlement, lorsque bientôt après lui j'entrais dans la vie publique en 1810, un mauvais gouverneur jetait les représentants

20 en prison ; depuis ce temps, les représentants ont chassé les mauvais gouverneurs. Autrefois, pour gouverner et mettre à l'abri des plaintes

de l'Assemblée les bas courtisans, ses complices, le tyran Craig[1] était obligé de se montrer, pour faire peur, comme bien plus méchant qu'il n'était. Il n'a pas réussi à faire peur. Le peuple s'est moqué de lui et des proclamations royales, des mandements et sermons déplacés, arrachés par surprise, et fulminés pour le frapper de terreur. Aujourd'hui pour gouverner, et mettre les bas courtisans ses complices à l'abri de la punition que leur a justement infligée l'Assemblée, le gouverneur est obligé de se montrer larmoyant pour faire pitié, et de se donner pour bien meilleur qu'il n'est en réalité. Il s'est fait humble et caressant pour tromper. Le miel sur les lèvres, le fiel dans le cœur, il a fait plus de mal par ses artifices que ses prédécesseurs n'en ont fait par leurs violences ; néanmoins le mal n'est pas consommé, et ses artifices sont usés. La publication de ses instructions qu'il avait mutilées et *mésinterprétées* ; la publication des rapports, dans lesquels l'on admet que cette ruse lui était nécessaire pour qu'il pût débuter dans son administration avec quelque chance de succès, ont fait tomber le masque. Il peut acheter quelques traîtres, il ne peut plus tromper des patriotes. Et comme dans un pays honnête le nombre des lâches qui sont en vente et à l'encan ne peut pas être considérable, ils ne sont pas à craindre. La circonstance nouvelle dont nos perpétuels ennemis vont vouloir tirer avantage, c'est que le Parlement britannique prend parti contre nous...

Cette difficulté est grande, mais elle n'est pas nouvelle, mais elle n'est pas insurmontable. Ce parlement tout-puissant, les Américains l'ont glorieusement battu, il y a quelques années[2]. C'est un spectacle consolateur pour les peuples que de se reporter à l'époque de 1774 ; d'applaudir aux efforts vertueux et au succès complet qui fut opposé à la même tentative qui est commencée contre vous. Ce parlement

---

1. James Henry Craig (1748-1812) : il a été nommé gouverneur général des colonies de l'Amérique du Nord britannique le 29 août 1807. En 1810, il a fait emprisonner sans procès les chefs du Parti canadien, aussi propriétaires du journal *Le Canadien*. Ce parti deviendra plus tard le Parti patriote de Louis Joseph Papineau.

2. Le 4 juillet 1776, les treize colonies anglaises d'Amérique du Nord signent la *Déclaration d'indépendance*, document officiel rédigé par Thomas Jefferson, dans lequel elles s'opposent à leur métropole, la Grande-Bretagne. La guerre d'Indépendance américaine prend fin en 1783, année de naissance des États-Unis d'Amérique.

50 tout-puissant, son injustice nous a déjà mis en lutte avec lui, et notre
résistance constitutionnelle l'a déjà arrêté. En 1822, le ministère s'était
montré un instrument oppresseur entre les mains de la faction officielle du Canada, et les Communes [1] s'étaient montrées les dociles
esclaves du ministère en l'appuyant dans sa tentative d'union des deux
55 provinces par une très grande majorité. Le ministère Melbourne [2] est
également l'instrument oppresseur que fait jouer à son service la
même faction officielle et tory [3] du Canada ; et la grande majorité des
Communes dans une question coloniale qu'elles comprennent peu et
à laquelle elles n'attachent aucun intérêt, est encore la tourbe docile
60 qui marche comme le ministre la pousse. Les temps d'épreuve sont
arrivés ; ces temps sont d'une grande utilité au public. Ils lui apprennent
à distinguer ceux qui sont patriotes aux jours sereins, que le premier
jour d'orage disperse ; ceux qui sont patriotes quand il n'y a pas de
sacrifices à faire, de ceux qui le sont au temps des sacrifices.

Anonyme, *Vue de la prise de Québec, 13 septembre 1759.*

---

1. Les Communes : la chambre des Communes, dans le système parlementaire anglais, réunit
   l'ensemble des députés élus par la population.
2. William Lamb, vicomte de Melbourne : il a été premier ministre d'Angleterre entre 1834 et
   1841.
3. Parti tory : parti conservateur dans le système parlementaire anglais.

Les FILS DE LA LIBERTÉ

André OUIMET, président

Manifeste
4 octobre 1837

POLITIQUE

1   Frères :
     Lorsque des événements urgents dans les affaires d'un pays rendent
nécessaire que les citoyens se forment en associations, le respect dû
aux opinions de la société demande de leur part une déclaration expli-
5 cite de motifs qui les ont induits à se coaliser, et des principes qu'ils
ont l'intention d'établir au moyen de leur organisation.
     Nous considérons, qu'après le privilège qui appartient à chaque
individu d'agir pour lui-même, d'après les bases mêmes de la société,
celui de joindre toute son énergie à celle de ses concitoyens dans tous
10 les projets qui ont pour but la défense ou l'intérêt mutuel, et par conséquent le droit d'association, est un droit aussi sacré et aussi inalié-
nable que celui de la liberté personnelle. Nous maintenons que les
gouvernements sont institués pour l'avantage et ne peuvent exister
avec justice que du consentement des gouvernés, et que quelque chan-
15 gement artificiel qui survienne dans les affaires humaines, un gouvernement de choix n'en est pas moins un droit inhérent au peuple.
Comme il ne peut être aliéné, on peut donc en aucun temps le revendiquer et le mettre en pratique. Tous les gouvernements étant institués
pour l'avantage de tout le peuple, nullement pour l'honneur ou le
20 profit d'un seul individu, toute prétention à gouverner d'après une
autorité divine ou absolue, réclamée par ou pour aucun homme ou
classe d'hommes quelconque, est blasphématoire et absurde, tout
comme il est monstrueux de l'inculquer et dégradant de l'admettre.

L'autorité d'une mère-patrie sur une colonie ne peut exister qu'aussi
25 longtemps que cela peut plaire aux colons qui l'habitent ; car ayant été
établi et peuplé par ces colons, ce pays leur appartient de droit, et par
conséquent peut être séparé de toute connexion étrangère toutes les
fois que les inconvénients, résultant d'un pouvoir exécutif situé au
loin et qui cesse d'être en harmonie avec une législature locale, rendent
30 une telle démarche nécessaire à ses habitants, pour protéger leur vie et
leur liberté ou pour acquérir la prospérité.

En prenant le titre de *Fils de la Liberté*, l'association des jeunes gens
de Montréal n'a nullement l'intention d'en faire une cabale[1] privée,
une junte[2] secrète, mais un corps démocratique plein de vigueur, qui
35 se composera de toute la jeunesse que l'amour de la patrie rend sensible aux intérêts de son pays, quelles que puissent être d'ailleurs leur
croyance, leur origine ou celle de leurs ancêtres.

Les raisons, qui dans la conjoncture actuelle appellent impérieuse-
ment toutes les classes, mais plus spécialement celle des jeunes gens, à
40 la vie active et à un dévouement héroïque à la cause de leur pays, sont
nombreuses et imposantes.

Lors de la cession de cette province en 1763, en vue de consolider la
puissance britannique sur les bancs du Saint-Laurent, certains droits
de propriété, de religion et de gouvernement avaient été garantis aux
45 Canadiens, et confirmés plus tard, en 1774, alors que la noble révolution des États américains rendait des concessions aux nouveaux sujets
de l'empire d'une politique urgente. Les succès brillants des États-
Unis et le mouvement entraînant de la révolution française, ayant
donné à l'Angleterre lieu de trembler pour les possessions qui lui res-
50 taient en Amérique, elle passa en 1791 l'acte constitutionnel, qui
divisa la province en Haut et en Bas-Canada, et établit une assemblée
représentative pour chacun d'eux. En 1812, la conciliation devient de
nouveau une mesure de nécessité à raison de la déclaration de guerre
par les États-Unis. Ces époques de danger ont été pour le Canada des
55 périodes de justice apparente, pendant que celles intermédiaires ainsi

---

1. Cabale : réunion secrète à laquelle seuls quelques initiés sont conviés.
2. Junte : en Espagne, au Portugal ou en Amérique latine, nom donné à un conseil ou à une
   assemblée administrative ou politique qui se veut, très souvent, révolutionnaire.

que celles qui ont suivi ne nous fournissent qu'une longue histoire d'injustices, d'atrocités et d'usurpation répétées. C'est ainsi que nous avons vu des administrateurs britanniques affichant une lâcheté et une perfidie tout à fait indignes d'une puissante nation, ne cesser de
60   leurrer le peuple canadien de promesses pleines de déception, et cela dans des temps de nécessité pressante qui, aussitôt la crise passée, ne rougissaient pas de recourir à toutes sortes d'expédients pour différer ou éviter d'accomplir les engagements les plus solennels.

Après soixante et dix-sept années de domination anglaise, nous
65   sommes portés à regarder notre pays dans un état de misère comparé aux républiques florissantes qui ont eu la sagesse de secouer le joug de la monarchie. Nous voyons les émigrés des mêmes classes venir de l'autre côté de la mer, misérables chez nous, heureux du moment qu'ils ont joint la grande famille démocratique, et nous faisons tous
70   les jours la triste expérience que c'est uniquement à l'action délétère du gouvernement colonial que nous devons attribuer tous nos maux. Une prétendue protection a paralysé toute notre énergie. Il a conservé tout ce qu'il y avait de défectueux dans nos anciennes institutions, désorganisé le présent état de la société, contrecarré la libre opération
75   de ce qu'il y avait de bon, et entravé toutes les mesures de réforme et d'amélioration.

Pendant que chacun des townships répartis sur l'immense territoire de nos voisins a l'avantage d'être sagement gouverné par une libre démocratie, laquelle est formée dès l'enfance à étudier la poli
80   tique, à se fier à elle-même, et à agir avec énergie, nous, nous sommes abandonnés à la merci et au contrôle d'un gouvernement dans lequel le peuple n'a aucune voix, dont l'influence tend à corrompre la vertu publique dans sa source, à décourager l'esprit d'entreprise, et à anéantir l'impulsion généreuse de tout ce qui peut conduire avec efficacité à
85   l'avancement et à la prospérité de notre pays.

Une légion d'officiers nommés sans l'approbation du peuple, auquel ils sont la plupart opposés et jamais responsables, pendant qu'ils prennent leur charge durant le bon plaisir d'un exécutif sans responsabilité, est maintenant en autorité au-dessus de nous avec des
90   salaires énormément disproportionnés tant à nos moyens qu'à leurs

services, de sorte que ces emplois semblent créés plutôt pour des intérêts de famille ou d'élévation personnelle, que pour l'avantage du
peuple ou pour satisfaire à ses besoins.

    Le procès par jurés que nous avons appris à regarder comme le pal-
95 ladium [1] de nos libertés, est devenu une belle illusion, un instrument
de despotisme, puisque les shérifs, créatures de l'exécutif, dont ils
dépendent journellement pour leur continuation dans une charge à
laquelle sont attachés d'énormes émoluments, ont la liberté de choisir
et de sommer tels jurés qu'il leur plaît, et peuvent devenir par là même
100 les arbitres du peuple dans les poursuites politiques intentées par ses
oppresseurs.

    […]

    La représentation du pays est devenue un objet insigne de moque-
rie. Un exécutif corrompu a constamment travaillé à faire de notre
105 chambre d'assemblée un instrument propre à infliger l'esclavage à ses
constituants ; et voyant qu'il ne réussissait point dans son infâme projet, il a rendu son action impuissante par des prorogations ou des dis-
solutions fréquentes, ou en refusant la sanction à des lois essentielles
au peuple et qui avaient été passées à l'unanimité de ses représentants.

110   Un conseil législatif, dont les membres sont à la nomination d'une
autorité ignorante des affaires de la colonie, et résidant à une distance
de 3 000 milles, composé en grande partie de personnes qui n'ont
aucune sympathie avec le pays, existe encore actuellement comme un
écran impuissant entre les gouvernants et les gouvernés, toujours prêt
115 à nullifier toutes les tentatives d'une législation utile. Un conseil exécutif nommé de la même manière, dont l'influence à empoisonner le
cœur de chaque gouverneur successif, demeure encore intact, proté-
geant le cumul des places et tous les abus qui se rattachent à chaque
département public. Un gouverneur aussi ignorant que ses prédéces-
120 seurs, et qui à l'exemple de chacun d'eux s'est fait partisan officiel,
conduit la machine gouvernementale pour l'avantage du petit nombre,

---

1. Palladium : dans la ville antique de Troie, la statue de Pallas agissait symboliquement comme
   un rempart, un bouclier.

peu soucieux des intérêts de la majorité, ou même déterminé à y susciter des entraves.

125 Nos griefs ont été fidèlement et à maintes reprises soumis au roi et au parlement du Royaume-Uni, dans des résolutions passées par des assemblées primaires et par nos représentants assemblés en parlement, et dans les humbles pétitions de toute la nation. Nous avons fait entendre nos remontrances avec toute la puissance des arguments, et avec toute la force morale de la vérité. Aucun remède n'a été mis à 130 effet, et à la fin lorsque la tyrannie de ceux qui sont investis du pouvoir dans la province s'est accrue à un point insupportable par l'impunité qui leur est assurée, une mère-patrie ingrate prend avantage d'un temps de paix générale, pour nous forcer à fermer les yeux et à approuver notre propre avilissement, en nous menaçant de se saisir 135 avec violence de nos revenus publics, au défi des droits naturels, et de tous les principes de la loi, de la politique et de la justice.

[...]

En conséquence, nous, les officiers et membres du comité de l'association des *Fils de la Liberté* dans Montréal, en notre propre nom, ainsi 140 qu'au nom de ceux que nous représentons, nous nous engageons solennellement envers notre patrie maltraitée, et envers chacun de nous, à dévouer toute notre énergie, et à nous tenir prêts à agir, suivant que les circonstances le requerront, afin de procurer à cette province un système de gouvernement réformé, basé sur le principe 145 d'élection; un gouvernement exécutif responsable; le contrôle par la branche représentative de la législature sur tous les revenus publics de quelque source qu'ils proviennent; le rappel de toutes les lois et chartres passées par une autorité étrangère, et qui pourrait empiéter sur les droits du peuple et de ses représentants et spécialement celles qui ont 150 rapport à la propriété et à la tenure des terres appartenant soit au public soit aux individus; un système amélioré pour la vente des terres publiques, aux fins que ceux qui désireraient s'y établir puissent le faire avec le moins de frais possible; l'abolition du cumul des places et de l'irresponsabilité des officiers publics, et une stricte égalité devant 155 la loi pour toutes les classes sans distinction d'origine, de langage ou de religion. Confiants dans la Providence et forts de notre droit, nous invitons par les présentes tous les jeunes gens de ces provinces à se former en associations dans leurs localités respectives, afin d'obtenir un gouvernement juste, peu dispendieux et responsable, et assurer la sécurité, la défense et l'extension de nos libertés communes.

160

André Ouimet, président.
J. L. Beaudry, vice-président.
Joseph Martel, vice-président.
J. G. Beaudriau, trésorier.
J. H. E. Therrien, secrétaire des minutes.
G. Boucherville, secrétaire correspondant.

Bataille de Saint-Denis, 1838.

François-Marie-Thomas CHEVALIER *de LORIMIER*
(1803-1839)

Testament patriotique
14 février 1839

POLITIQUE

1   Prison de Montréal
14 février 1839 à 11 heures du soir
Le public et mes amis en particulier attendent peut-être une déclaration sincère de mes sentiments : à l'heure fatale qui doit nous séparer
5   de la terre, les opinions sont toujours regardées et reçues avec plus d'impartialité. L'homme chrétien se dépouille en ce moment du voile qui a obscurci beaucoup de ses actions, pour se laisser voir en plein jour ; l'intérêt et les passions expirent avec ses dépouilles mortelles. Pour ma part, à la veille de rendre mon esprit à son créateur, je désire
10   faire connaître ce que je ressens et ce que je pense. Je ne prendrais pas ce parti, si je ne craignais qu'on ne représentât mes sentiments sous un faux jour : on sait que le mort ne parle plus, et la même raison d'État qui me fait expier sur l'échafaud ma conduite politique pourrait bien forger des contes à mon sujet. J'ai le temps et le désir de prévenir de
15   telles fabrications et je le fais d'une manière vraie et solennelle à mon heure dernière, non pas sur l'échafaud environné d'une foule stupide et insatiable de sang, mais dans le silence et les réflexions du cachot. Je meurs sans remords, je ne désirais que le bien de mon pays dans l'insurrection et l'indépendance, mes vues et mes actions étaient sin-
20   cères et n'ont été entachées d'aucun des crimes qui déshonorent l'humanité, et qui ne sont que trop communs dans l'effervescence des passions déchaînées. Depuis 17 à 18 ans, j'ai pris une part active dans presque toutes les mesures populaires et toujours avec conviction et

sincérité. Mes efforts ont été pour l'indépendance de mes compatriotes,
25 nous avons été malheureux jusqu'à ce jour. La mort a déjà décimé plusieurs de mes collaborateurs. Beaucoup gémissent dans les fers, un
plus grand nombre sur la terre d'exil avec leurs propriétés détruites,
leurs familles abandonnées sans ressources aux rigueurs d'un hiver
canadien[1]. Malgré tant d'infortunes, mon cœur entretient encore du
30 courage et des espérances pour l'avenir : mes amis et mes enfants ver-
ront de meilleurs jours, ils seront libres, un pressentiment certain, ma
conscience tranquille me l'assurent. Voilà ce qui me remplit de joie,
quand tout est désolation et douleur autour de moi. Les plaies de mon
pays se cicatriseront après les malheurs de l'anarchie d'une révolution
35 sanglante. Le paisible Canadien verra le bonheur et la liberté sur le
Saint-Laurent, tout concourt à ce but, les exécutions même, le sang et
les larmes versés sur l'autel de la liberté arrosent aujourd'hui les racines
de l'arbre qui fera flotter le drapeau marqué des deux étoiles des
Canadas. Je laisse des enfants qui n'ont pour héritage que le souvenir
40 de mes malheurs. Pauvres orphelins, c'est vous que je plains, c'est vous
que la main ensanglantée et arbitraire de la loi martiale frappe par ma
mort. Vous n'aurez pas connu les douceurs et les avantages d'embras-
ser votre père aux jours d'allégresse, aux jours de fêtes ! Quand votre
raison vous permettra de réfléchir, vous verrez votre père qui a expié
45 sur le gibet des actions qui ont immortalisé d'autres hommes plus
heureux. Le crime de votre père est dans l'irréussite, si le succès eût
accompagné ses tentatives, on eût honoré ses actions d'une mention
honorable. « Le crime fait la honte et non pas l'échafaud. » Des hommes
d'un mérite supérieur au mien m'ont battu la triste carrière qui me
50 reste à parcourir de la prison obscure au gibet. Pauvres enfants, vous
n'aurez plus qu'une mère tendre et désolée pour maintien ; si ma mort
et mes sacrifices vous réduisent à l'indigence, demandez quelquefois
en mon nom, je ne fus jamais insensible aux malheurs de l'infortune.
Quant à vous, mes compatriotes, peuple, mon exécution et celle des
55 mes compagnons d'échafaud vous seront utiles. Puissent-elles vous

---

1. Plus de 1 700 Patriotes sont arrêtés en 1837-1838. De ce nombre, 8 seront exilés aux Bermudes,
   58 en Australie et 12 seront pendus.

démontrer ce que vous devez attendre du gouvernement anglais… Je n'ai plus que quelques heures à vivre, et j'ai voulu partager ce temps précieux entre mes devoirs religieux et ceux dus à mes compatriotes ; pour eux je meurs sur le gibet et de la mort infâme du meurtrier, pour eux je me sépare de mes jeunes enfants et de mon épouse sans autre appui, et pour eux je meurs en m'écriant : *Vive la liberté ! Vive l'indépendance !*

François-Xavier *GARNEAU*

(1809-1866)

Histoire du Canada
1845

HISTOIRE

1   Si l'on envisage l'histoire du Canada dans son ensemble, depuis Champlain jusqu'à nos jours, on voit qu'elle a deux phases, la domination française et la domination anglaise, que signalent, l'une, les guerres contre les tribus sauvages et contre les provinces qui forment
5   aujourd'hui les États-Unis ; l'autre, la lutte morale et politique des Canadiens pour conserver leur religion et leur nationalité. La différence des armes à ces deux époques nous les montre sous deux aspects différents ; mais c'est sous le dernier qu'ils nous intéressent le plus. Il y a quelque chose de touchant et de noble tout à la fois à
10 défendre sa nationalité, héritage sacré qu'aucun peuple, quelque dégradé qu'il fût, n'a jamais répudié. Jamais plus grande et plus sainte cause n'a inspiré un cœur haut placé, et n'a mérité la sympathie des esprits généreux !

       Si autrefois la guerre a fait briller la valeur des Canadiens, les débats
15 politiques ont depuis fait surgir au milieu d'eux des hommes dont les talents, l'éloquence et le patriotisme sont pour nous un juste sujet d'orgueil et un motif de généreuse émulation. Les Papineau[1], les

---

1. Louis Joseph Papineau (1786-1871) : homme politique influent au Bas-Canada, il fut président de la Chambre d'assemblée de 1815 à 1823 et de 1825 à 1832. En 1834, il devint le chef du Parti patriote. Il fut également l'instigateur des 92 résolutions.

Bédard [1], les Vallières [2], ont, à ce titre, une place distinguée dans l'histoire comme dans notre souvenir.

20   Par cela même que le Canada a éprouvé de nombreuses vicissitudes, tenant à la nature de la dépendance coloniale, les progrès n'y ont marché qu'au milieu d'obstacles, de secousses sociales, qu'augmentent aujourd'hui l'antagonisme des races en présence, les préjugés, l'ignorance, les écarts des gouvernants et, quelquefois, des gouvernés.

25   Les auteurs de l'union des deux provinces du Canada, projetée en 1822 et exécutée en 1840, ont apporté en faveur de cette mesure diverses raisons spécieuses pour couvrir d'un voile une grande injustice. L'Angleterre, qui ne voulait voir, dans les Canadiens français que des colons turbulents, des étrangers mal affectionnés, a feint de prendre

30 pour des symptômes de rébellion leur inquiétude, leur attachement à leurs institutions et à leurs usages menacés. Cette conduite prouve que ni les traités ni les actes publics les plus solennels n'ont pu l'empêcher de violer des droits d'autant plus sacrés qu'ils servaient d'égide au faible contre le fort.

35   Mais, quoi qu'on fasse, la destruction d'un peuple n'est pas chose aussi facile qu'on pourrait se l'imaginer.

    Nous sommes loin de croire que notre nationalité soit à l'abri de tout danger. Comme bien d'autres nous avons eu nos illusions à cet égard. Mais le sort des Canadiens n'est pas plus incertain aujourd'hui

40 qu'il l'était il y a un siècle. Nous ne comptions que soixante mille âmes en 1760, et nous sommes aujourd'hui près d'un million. Ce qui caractérise la race française entre toutes les autres, c'est, dit un auteur, cette force secrète de cohésion et de résistance qui maintient l'unité nationale à travers les plus cruelles vicissitudes, et la relève triomphante de

45 tous les désastres…

---

1. Elzéar Bédard (1799-1849) : avocat et homme politique, il fut député et devint le premier maire de Québec. C'est lui qui proposa l'adoption des 92 résolutions en Chambre. En 1835, il quitta la politique pour devenir juge. Son père, Joseph-Stanislas Bédard (1762-1829) fut également député et chef du Parti canadien. En 1806, il fonda *Le Canadien*, important journal patriote.
2. Joseph-Rémi Vallières de Saint-Réal (1787-1847) : avocat et homme politique de Québec. Il est surtout connu pour son refus de la présidence du Conseil exécutif en 1846.

Tout démontre que les Français établis en Amérique ont conservé ce trait caractéristique de leurs pères, cette puissance énergique et insaisissable qui réside en eux-mêmes, et qui, comme le génie, échappe à l'astuce de la politique aussi bien qu'au tranchant de l'épée.

50 Ils se conservent comme type même quant tout semble annoncer leur destruction. Un noyau s'en forme-t-il au milieu de races étrangères, il se développe, en restant isolé, pour ainsi dire, au sein de ces populations avec lesquelles il peut vivre, mais avec lesquelles il ne peut s'incorporer. Des Allemands, des Hollandais, des Suédois se sont éta-

55 blis par groupes dans les États-Unis, et se sont insensiblement fondus dans la masse, sans résistance, sans qu'une parole même révélât leur existence au monde. Au contraire, aux deux bouts de cette moitié de continent, deux groupes français ont pareillement pris place, et non seulement ils s'y maintiennent comme race, mais on dirait qu'un

60 esprit d'énergie indépendante d'eux repousse les attaques dirigées contre leur nationalité. Leurs rangs se resserrent ; la fierté du grand peuple dont ils descendent, laquelle les anime alors qu'on les menace, leur fait rejeter toutes les capitulations qu'on leur offre ; leur nature gauloise, en les éloignant des races flegmatiques, les soutient aussi

65 dans des circonstances où d'autres perdraient toute espérance. Enfin cette force de cohésion, qui leur est propre, se développe d'autant plus que l'on veut la détruire.

Henri-Raymond CASGRAIN

(1831-1904)

CULTURE

RÔLE DE NOTRE LITTÉRATURE

Œuvres complètes
1862

1   Oui, nous aurons une littérature indigène, ayant son cachet propre, original, portant vivement l'empreinte de notre peuple, en un mot, une littérature nationale.

On peut même prévoir d'avance quel sera le caractère de cette litté-
5 rature. Si, comme cela est incontestable, la littérature est le reflet des mœurs, du caractère, des aptitudes, du génie d'une nation, si elle garde aussi l'empreinte des lieux, des divers aspects de la nature, des sites, des perspectives, des horizons, la nôtre sera grave, méditative, spiritualiste, religieuse, évangélisatrice comme nos missionnaires,
10 généreuse comme nos martyrs, énergique et persévérante comme nos pionniers d'autrefois et en même temps elle sera largement découpée, comme nos vastes fleuves, nos larges horizons, notre grandiose nature, mystérieuse comme les échos de nos immenses et impéné-trables forêts, comme les éclairs de nos aurores boréales, mélancolique
15 comme nos pâles soirs d'automne enveloppés d'ombres vaporeuses, comme l'azur profond, un peu sévère, de notre ciel, chaste et pure comme le manteau virginal de nos longs hivers.

Mais surtout elle sera essentiellement croyante et religieuse. Telle sera sa forme caractéristique […]. Elle n'a pas d'autre raison
20 d'existence ; pas plus que notre peuple n'a de principe de vie sans reli-gion, sans foi ; du jour où il cesserait de croire, il cesserait d'exister […]. Elle n'aura point ce cachet de réalisme moderne, manifestation de la pensée impie, matérialiste ; mais elle n'aura que plus de vie, de spontanéité, d'originalité […].

25   Heureusement que, jusqu'à ce jour, notre littérature a compris sa mission, qui est de favoriser les saines doctrines, de faire aimer le bien, admirer le beau et connaître le vrai, de moraliser le peuple en ouvrant son âme à tous les nobles sentiments.

Richard Short, *Vue de l'église Notre-Dame-de-la-Victoire (...)*, 1761.

Arthur BUIES
(1840-1901)

RELIGION

Cléricalisme et théocratie

Lettres sur le Canada : étude sociale
1864

1   Ce fut un jour malheureux où le clergé se sépara des citoyens ; il
avait une belle mission à remplir, il la rejeta ; il pouvait éclairer les
hommes, il préféra les obscurcir ; il pouvait montrer par le progrès la
route à l'indépendance, il aima mieux sacrifier aux idoles de la terre,
5 et immoler le peuple à l'appui que lui donnerait la politique des conquérants. Il y a à peu près un demi-siècle, l'évêque Plessis [1] demandait uniquement à la métropole qu'on voulût bien garantir le
maintien de la foi catholique en Canada. Dès qu'il l'eut obtenu, et que
l'Angleterre vit tous les moyens qu'elle pourrait tirer pour sa domi-
10 nation du prestige que le clergé exerçait sur les masses, le Canada fut
perdu. Les prêtres ne demandaient qu'une chose, la religion catholique, et ils abandonnaient tout le reste. Dès lors, ils se joignirent à
nos conquérants et poursuivirent de concert avec eux la même
œuvre. Ils intervinrent dans la politique, et crurent bien faire en y
15 apportant les maximes de la théocratie ; ils n'y virent qu'une chose,
l'obéissance passive ; ils n'y recommandèrent qu'une vertu, la loyauté
absolue envers l'autorité, c'est-à-dire envers la nation qui nous persé-
cutait depuis 50 ans. Ils abjurèrent toute aspiration nationale, et ne se
vouèrent plus qu'à un seul but auquel ils firent travailler le peuple, la
20 consolidation et l'empire de leur ordre.

---

1. Joseph-Octave Plessis (1763-1825) : archevêque de Québec, il doit sa réputation à son talent de
négociateur avec les tenants du pouvoir politique sous le régime anglais.

Tout ce qui pouvait indiquer un symptôme d'indépendance, un soupçon de libéralisme, leur devint dès lors antipathique et odieux ; et plus tard, au nom de cette sujétion honteuse qu'ils recommandaient comme un devoir, ils anathématisaient [1] les Patriotes de 37, pendant
25 que nos tyrans les immolaient sur les échafauds [2]. En tout temps, ils se sont chargés de l'éducation, et l'ont dirigée vers ce seul but, le maintien de leur puissance, c'est-à-dire l'éternelle domination de l'Angleterre.

En voulez-vous des preuves ? Ils n'admettent dans l'enseignement
30 que des livres prescrits par eux, recommandés par leur ordre, c'est-à-dire qu'ils n'enseignent à la jeunesse rien en dehors d'un certain ordre d'idées impropre au développement de l'esprit. Tous les divers aspects des choses sont mis de côté ; l'examen approfondi, les indépendantes recherches de la raison qui veut s'éclairer sont condamnés
35 sévèrement. On ne vous rendra pas compte des questions, on vous dira de penser de telle manière, parce que tel auteur aura parlé de cette manière ; il ne faut pas voir si cet auteur a dit vrai, il faut avant tout que l'esprit obéisse et croie aveuglément. On ne s'occupe pas de savoir si la vérité est en dehors de ce qu'on enseigne ; à quoi servirait la vérité
40 qui renverserait tout cet échafaudage dogmatique d'oppression intellectuelle ? Il faut la détruire, et pour cela on s'armera des armes de la théocratie ; on la déclarera hérétique, impie, absurde. Si l'évidence proteste, la théocratie protestera contre l'évidence. Pas un philosophe, pas un historien, pas un savant qui ne soit condamné s'il cherche dans
45 les événements d'autres lois que celles de la religion, s'il interroge toutes les sources pour découvrir les véritables causes, et s'il explique les révolutions et les progrès de l'esprit par d'autres raisons que l'impiété. Si la pensée s'exerçait, évidemment elle trouverait des aspects nouveaux, elle ferait des comparaisons, elle rattacherait toutes les parties
50 de chaque sujet ; et de l'ensemble de ses recherches naîtrait la vérité : il faut lui dire que tout ce qu'elle découvrira est mensonge, iniquité,

---

1. Anathématiser : condamner avec force, maudire. L'Église catholique excommuniait les fidèles jugés hérétiques.
2. Voir la dernière lettre écrite par Chevalier de Lorimier, patriote condamné à mort le 15 février 1839 (p. 31).

blasphème ; il faut lui dire que la raison ne peut mener qu'à l'erreur, et que la science ne peut exister sans la foi. Et la jeunesse, formée dès longtemps à la sainteté de la religion, apportant ses maximes dans tout
55 ce qui existe, repoussera comme une tentative impie toute recherche de la vérité qui ne sera pas appuyée sur elle.

Et c'est ainsi qu'en ne montrant qu'un seul côté des choses, on parvient à rétrécir et à fausser l'intelligence. Ce qu'on veut, c'est fonder un système qui enveloppe l'esprit dans des maximes infranchissables,
60 et qui ne serve qu'à un but, son propre maintien : de cette manière on gouvernera la société, et l'on fera des élèves autant d'instruments dévoués à sa cause. Qu'importe que ce système soit faux et absurde ? « Ne sommes-nous pas les ministres de la religion ? N'avons-nous pas la direction absolue de l'esprit ? Pouvons-nous nous tromper, nous
65 qui parlons au nom de la vérité éternelle ? Ce système n'est-il pas le nôtre ? Devons-nous permettre qu'on l'examine, et l'esprit affranchi serait-il aussi propre à l'obéissance ? »

Ah ! vous voulez garder l'empire de l'intelligence ; vous voulez être les seuls dépositaires de l'éducation ; voyons votre œuvre. Vous voulez
70 enseigner, et toutes les grandes œuvres de l'intelligence, vous les répudiez, vous les flétrissez, vous leur dites anathème [1]. Vous voulez former des citoyens ! Et quel est l'homme, possédant quelques idées vraies de société, d'État, de liberté politique, qui ne les ait pas cherchées en dehors des idées et des études que vous lui imposiez ? Et
75 cependant, tous les grands noms, vous les avez sans cesse dans la bouche : religion, vertu, nationalité.

La religion ! vous en faites un moyen, vous l'abaissez dans les intrigues de secte. La vertu ! vous la mettez uniquement dans l'asservissement à votre volonté. Osez nier ceci : je suis, moi, un homme
80 honnête, consciencieux, probe ; je crois à Dieu et aux sublimes vérités du christianisme ; mais je ne veux pas de votre usurpation de ma conscience, je veux croire au Christ, et non à vous ; je veux chercher la

---

1. Depuis le XVIᵉ siècle, le Vatican publie un catalogue des livres prohibés, l'*Index Librorum Prohibitorum*. Appelé couramment l'*Index*, il fut abrogé seulement en 1966 lors du Concile de Vatican II. C'est l'invention de l'imprimerie qui avait rendu cette mesure nécessaire. L'Église catholique voulait préserver ses fidèles de « mauvaises lectures ».

vérité que Dieu lui-même a déclarée difficile à trouver ; mais je ne
veux pas que vous, vous l'ayez trouvée tout seuls sans la chercher, et
85 que vous m'imposiez vos erreurs au nom d'une religion que vous ne
comprenez pas : n'est-il pas vrai que vous me déclarez impie ?

Vous voulez former des citoyens, et vous gouvernerez la politique
avec les idées du cloître ! vous interviendrez dans l'État pour troubler
tout ce qui en fait l'harmonie et les bases ! Non, non ; votre système
90 d'éducation et votre système de religion ne feront jamais que des théo-
logiens ignorants et despotiques. Renoncez à faire des citoyens, vous
qui ne savez pas la différence entre la politique et la théocratie.

Et la nationalité ! comment la servez-vous ? N'avez-vous pas dit
toujours qu'elle ne pourrait se maintenir sans vous ? Et n'est-ce pas
95 ainsi que vous avez toujours gouverné le peuple à qui sa nationalité est
si chère ? Je suis, moi, un patriote dévoué ; j'ai pour la France le culte
qu'inspire le respect pour les sciences et les lumières ; je crois à l'épan-
chement graduel de la langue et des idées françaises par tout le globe :
mais je veux, pour maintenir la nationalité française au Canada, autre
100 chose qu'un troupeau d'hommes asservis ; je veux l'élever pour assurer
son triomphe ; je veux éclairer mes compatriotes, pour qu'ils puissent
la défendre par tous les moyens ; je veux des hommes au cœur libre et
fier qui comprennent ce que c'est que d'être français ; n'est-il pas vrai
que vous me déclarez ennemi de la patrie, démagogue, révolu-
105 tionnaire ?

Votre éducation est française, soit ; mais les hommes que vous faites,
que sont-ils ? Qu'est-ce que c'est que les mots et qu'importe le langage
qu'on parle à l'esclave, pourvu qu'on soit obéi ? Votre éducation est
française ! Et qu'enseignez-vous de la France, notre mère ? Vous ensei-
110 gnez à la maudire : vous enseignez à maudire les grands hommes qui
l'ont affranchie, la grande révolution qui l'a placée à la tête du progrès
social. Votre éducation est française ! Et vous enseignez l'intolérance et
le fanatisme, pendant que la France enseigne la liberté de pensée et le
respect des convictions. Quoi ! suffit-il donc, pour que vous donniez
115 une éducation française, de n'en employer que les mots et d'en rejeter
toutes les idées ! Vain simulacre, attrait trompeur qui séduit le peuple

et donne des forces à tous les misérables politiciens qui exploitent sa crédulité !

Au lieu de l'amour et de la fraternité, vertus du christianisme, venez entendre prêcher du haut des chaires le fanatisme, la malédiction, et la haine contre tout ce qui n'est pas propre à asservir l'intelligence, et contre tout ce qui veut affranchir le christianisme de l'exploitation d'un ordre ambitieux. Venez voir comme on endoctrine la jeunesse au moyen de pratiques étroites et tyranniques : voyez toutes ces institutions, toutes ces associations, vaste fil invisible avec lequel on lie toutes les consciences, vaste réseau organisé pour tenir dans ses mains la pensée et la volonté de tous les hommes. Le clergé est partout, il préside tout, et l'on ne peut penser et vouloir que ce qu'il permettra. Il y a une institution libre et généreuse qu'il a voulu dominer de la même manière ; et quand il a vu qu'elle ne voulait pas se laisser dominer, il l'a maudite. Tant il est vrai que ce n'est pas le triomphe de la religion qu'il cherche, mais celui de sa domination.

Octave CRÉMAZIE

(1827-1879)

Lettre à l'abbé Casgrain sur la littérature
29 janvier 1867

LANGUE

1   Plus je réfléchis sur les destinées de la littérature canadienne, moins je lui trouve de chances de laisser une trace dans l'histoire. Ce qui manque au Canada, c'est d'avoir une langue à lui. Si nous parlions iroquois ou huron, notre littérature vivrait. Malheureusement
5 nous parlons et écrivons d'une assez piteuse façon, il est vrai, la langue de Bossuet [1] et de Racine [2]. Nous avons beau dire et beau faire, nous ne serons toujours, au point de vue littéraire, qu'une simple colonie ; et quand bien même le Canada deviendrait un pays indépendant et ferait briller son drapeau au soleil des nations, nous n'en demeure-
10 rions pas moins de simples colons littéraires. Voyez la Belgique, qui parle la même langue que nous. Est-ce qu'il y a une littérature belge ? Ne pouvant lutter avec la France pour la beauté de la forme, le Canada aurait pu conquérir sa place au milieu des littératures du vieux monde, si parmi ses enfants il s'était trouvé un écrivain capable
15 d'initier, avant Fenimore Cooper [3], l'Europe à la grandiose nature de nos forêts, aux exploits légendaires de nos trappeurs et de nos voyageurs. Aujourd'hui, quand bien même un talent aussi puissant que celui de l'auteur du *Dernier des Mohicans* se révélerait parmi nous, ses

---

1. Jacques-Bénigne Bossuet (1627-1704) : évêque de Meaux, il est reconnu pour son éloquence.
2. Jean Racine (1639-1699) : dramaturge français de l'époque classique, auteur entre autres de *Britannicus* (1669) et de *Phèdre* (1677).
3. James Fenimore Cooper (1789-1851) : écrivain américain, il relate dans son roman *Le dernier des Mohicans* (1826) les tensions franco-britanniques et amérindiennes du Nord de l'Amérique. Il est admiré de plusieurs auteurs français, parmi lesquels Honoré de Balzac et Victor Hugo.

œuvres ne produiraient aucune sensation en Europe, car il aurait
20   l'irréparable tort d'arriver le second, c'est-à-dire trop tard. Je le
répète, si nous parlions huron ou iroquois, les travaux de nos écrivains attireraient l'attention du vieux monde. Cette langue mâle et
nerveuse, née dans les forêts de l'Amérique, aurait cette poésie du cru
qui fait les délices de l'étranger. On se pâmerait devant un roman ou
25   un poème traduit de l'iroquois, tandis que l'on ne prend pas la peine
de lire un livre écrit en français par un colon de Québec ou de Montréal.
Depuis vingt ans, on publie chaque année, en France, des traductions
de romans russes, scandinaves, roumains. Supposez ces mêmes livres
écrits en français, ils ne trouveraient pas cinquante lecteurs.

30   La traduction a cela de bon, c'est que si un ouvrage ne nous semble
pas à la hauteur de sa réputation, on a toujours la consolation de se
dire que ça doit être magnifique dans l'original.

Mais qu'importe après tout que les œuvres des auteurs canadiens
soient destinées à ne pas franchir l'Atlantique. Ne sommes-nous pas
35   un million de Français oubliés par la mère patrie sur les bords du
Saint-Laurent ? N'est-ce pas assez pour encourager tous ceux qui
tiennent une plume que de savoir que ce petit peuple grandira et qu'il
gardera toujours le nom et la mémoire de ceux qui l'auront aidé à
conserver intact le plus précieux de tous les trésors : la langue de ses
40   aïeux ?

Quand le père de famille, après les fatigues de la journée, raconte à
ses nombreux enfants les aventures et les accidents de sa longue vie,
pourvu que ceux qui l'entourent s'amusent et s'instruisent en écou-
tant ses récits, il ne s'inquiète pas si le riche propriétaire du manoir
45   voisin connaîtra ou ne connaîtra pas les douces et naïves histoires qui
font le charme de son foyer. Ses enfants sont heureux de l'entendre,
c'est tout ce qu'il demande.

Il en doit être ainsi de l'écrivain canadien. Renonçant sans regret
aux beaux rêves d'une gloire retentissante, il doit se regarder comme
50   amplement récompensé de ses travaux s'il peut instruire et charmer
ses compatriotes, s'il peut contribuer à la conservation, sur la jeune
terre d'Amérique, de la vieille nationalité française.

PREMIÈRE ANNÉE—No. 1   MONTRÉAL, LUNDI, 10 JANVIER 1910   UN

ABONNEMENTS :

Édition Quotidienne :
Canada et États-Unis $3.00
Union Postale $6.00

Édition Hebdomadaire :
Canada $1.00
États-Unis et Union Postale $1.50

LE DEVOIR

Directeur : HENRI BOURASSA.

FAIS CE QUE DOIS !

Rédaction et
71A RUE S
MON

TÉLÉPHO
RÉDACTI
ADMINIS

AVANT LE COMBAT

Ce journal n'a pas besoin d'une longue présentation.

On connaît son but, on sait d'où il vient, où il va.

Nous reproduisons, dans une autre colonne, le programme d'action, déjà connu, de la société dont le *Devoir* est la première œuvre.

C'est ce programme que le journal va tâcher constamment de faire valoir, d'en assurer le triomphe.

Et comme les principes et les idées n'incarnent dans les hommes et se manifestent par les faits, nous prendrons les hommes et les faits corps à corps et nous les jugerons à la lumière de nos principes.

Le *Devoir* appuiera les hommes et dénoncera les coquins.

* * *

Dans la politique provinciale, nous combattrons le gouvernement actuel, parce que nous y trouvons toutes les tendances mauvaises que nous voulons faire disparaître de la vie publique : *la civilité, l'instabilité, le libéral, l'esprit de parti esténdu à l'excès.*

Nous appuyons l'opposition, parce que nous y trouvons les tendances contraires, la probité, le courage, des principes fermes, une grande largeur de vues. Ces principes sont admirablement réunis dans la personnalité de son leader, M. Tellier.

* * *

L'AFFAIRE DUSSAULT-TURGEON

LE DEUXIÈME ACTE DE LA COMÉDIE

Les Commissaires du Port poursuivent M. Turgeon : c'est la grosse nouvelle du jour. On constatera, durant cette poursuite, le sérieux et le bien-fondé de nos accusations contre l'ex-ministre des Travaux.

* * *

A NOS AMIS

Les lecteurs du "DEVOIR" sont tous ce prosque tous nos amis.

Le " *DEVOIR.*" s'épargnera pour défendre les idées qui nous sont chères à tous, aucun effort, aucun sacrifice. Nous sommes également assurés de la bonne volonté et du dévoûment de nos amis.

Ils peuvent nous aider de mille façons...

* * *

BILLET DU SOIR

MON ENCRIER

C'est un bel encrier tout flambant neuf, rempli jusqu'au bord de bonne encre fraiche et claire. Oh ! la merveilleuse liquide !...

* * *

Nous sommes d'aussi bonne race...

On vient de distribuer aux journaux de la province de Québec le rapport du ministre des Travaux publics et celui de la Commission des Chemins de fer " pour l'exercice terminé le 31 mars 1908."

Le 31 mars 1908, vous avez bien lu et cela vous dit à quel point encore, grâce à notre système, grâce à des habitudes d'administration...

* * *

Le "congrès" de ce soir

* * *

LE CARDINAL SATOLLI

Le cardinal Satolli vient de succomber à la maladie qui le minait depuis des mois. Il était âgé de plus de soixante-dix ans.

* * *

LA VIE QUE

LES ÉLECTIONS MUNICIPALES

QUÉBEC ROUGE—GRANDEUR ET DÉCADENCE DE "SIR GEORGES GARNEAU". — LES AMBITIONS DE M. CHOQUETTE ET LES DÉGOÛTS DE M. PARENTIER. — LES SURPRISES POSSIBLES. — L'AT-TITUDE DES NATIONALISTES.

I
LE PASSÉ

Les gens de Montréal disent volontiers que nous sommes un chef politique mais il donne même, entre...

Du CONSERVATISME À LA PRISE DE CONSCIENCE (1867-1948)

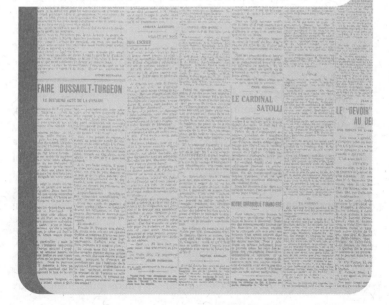

INTRODUCTION

La vie intellectuelle et sociale de la seconde moitié du XIXe siècle se résume en un mot : ultramontanisme. Le double échec de la Conquête anglaise en 1759 et de la rébellion des Patriotes en 1837-1838 a forcé les Canadiens français à trouver refuge dans les ailes *bienfaitrices* de la bonne et sainte mère : l'Église catholique. Il devient tout naturel alors que l'élite du clergé fasse figure d'autorité en santé, en éducation, en culture et en politique, car les ultramontains — leur doctrine s'est d'abord développée en France — croient avant tout en la suprématie de l'Église sur l'État. Comme l'étymologie du terme l'indique (*ultra montis* : « au-delà des montagnes », des Alpes, donc en Italie), les ultramontains placent le pape au-dessus de toute autorité civile. Mgr Louis-François Laflèche, évêque de Trois-Rivières, et Mgr Ignace Bourget, évêque de Montréal, chapeautent ce mouvement. Police des mœurs, des lois et des âmes, la religion apporte à la fois ordre et réconfort aux Canadiens français. Agriculture, catholicisme, langue française et famille nombreuse ne font désormais plus qu'un. Ce repli sur les valeurs traditionnelles assure pour un temps la survie d'une nation que l'on croyait en péril. Il est vrai que l'acte d'Union de 1840 avait balayé d'un trait la fierté nationale.

Après avoir été désigné sous le nom de Bas-Canada et de Canada-Est, le Québec trouve enfin son nom en 1867 lors de la Confédération. Sir Adolphe Basile Routhier, auteur de l'hymne national *Ô Canada* avec le musicien Calixa Lavallée, fait pourtant remarquer en 1870 la force indestructible de sa patrie : « L'Union des deux Canadas qui devait être son tombeau, n'a été qu'une arène glorieuse où l'enfant est devenu un homme ! » Ultramontain et nationaliste convaincu, le juge Routhier prônait dans ses écrits un conservatisme épuré, comme en témoigne sa vision de la littérature canadienne. Dans *Les grands revenants*, texte méconnu de son œuvre, il fait revivre les grands personnages de l'histoire en leur attribuant de surprenantes conversations. Ce « dialogue de morts » est l'un des rares témoignages québécois de ce genre antique remis à la mode par les philosophes français aux

XVIIe et XVIIIe siècles. Qu'il prenne la forme d'un article de journal, d'un discours ou d'une critique, l'essai de cette époque vante les mérites de la foi catholique et de la nation canadienne-française.

Orateur et historien notoire, Thomas Chapais s'est surtout fait un nom en tant que journaliste. Étant lui aussi un ardent défenseur de la morale et de sa patrie, il aspire à faire reconnaître la gloire de son peuple qu'il n'hésite pas à comparer aux plus grandes civilisations de l'histoire lorsqu'il retrace la naissance de la littérature d'ici. Un peu plus tard, suivant les traces de l'abbé Casgrain, Mgr Camille Roy, recteur de l'Université Laval, rendra également hommage aux écrivains canadiens en les investissant d'une mission fort solennelle. Devenant passeurs, ils doivent véhiculer les valeurs prônées par les ultramontains. Durant le long règne de l'*Index* (le catalogue des livres interdits par le Vatican), lecture et écriture demeurent deux activités régies par des codes stricts. La Bible nous l'a appris : Dieu est partout et son don d'ubiquité doit se traduire dans toutes les productions culturelles. D'ailleurs, pour le journaliste Jules-Paul Tardivel, le roman « paraît être une arme forgée par Satan lui-même pour la destruction du genre humain ». C'est pourquoi il tient à mettre en garde ses lecteurs contre les mauvais journaux, « machines de guerre » facilement accessibles, donc doublement dangereuses. Seules la foi et la langue peuvent endiguer le fléau de la modernité. Et c'est le petit-fils même de Louis Joseph Papineau, le très aimé Henri Bourassa, qui a exposé avec brio dans un discours demeuré célèbre la nécessité d'y trouver refuge. Déjà en 1904, celui qui allait fonder le journal *Le Devoir* déplorait la mauvaise perception des francophones à l'extérieur des frontières de la province : « Le Québec est notre seul pays parce que nous n'avons pas de liberté ailleurs. » Son ami, le journaliste Olivar Asselin, ainsi que le chanoine Lionel Groulx, professeur et historien renommé, tous deux de farouches nationalistes, auraient pu tenir le même propos.

Mais peu à peu, l'essai finira par délaisser les traditions du terroir et les idéologies de ce qu'on nommera plus tard la Grande Noirceur pour se cristalliser autour d'un seul et même rêve : le désir d'un pays. Entre-temps, le 25 avril 1940, les Québécoises auront enfin leur mot à dire ; vingt-deux ans après avoir acquis le droit de vote aux élections fédérales.

Tableau chronologique (1867-1946)		
ÉVÉNEMENTS SOCIO-HISTORIQUES AU QUÉBEC	**ÉVÉNEMENTS LITTÉRAIRES ET CULTURELS AU QUÉBEC**	**ESSAIS PUBLIÉS AU QUÉBEC**
1867 Confédération canadienne. L'Acte de l'Amérique du Nord britannique (AANB) unit quatre provinces formant le Canada : Québec, Ontario, Nouveau-Brunswick et Nouvelle-Écosse. Pierre Joseph Olivier Chauveau, premier ministre du Québec jusqu'en 1873. John Alexander Macdonald, premier ministre du Canada jusqu'en 1873.		
1868 Assassinat du député de Montréal-Ouest, Thomas D'Arcy McGee, par un *fenian* irlandais, Patrick Whelan.	Fondation du journal de combat *La Lanterne*.	
1872		Henri-Raymond Casgrain, *Critique littéraire*.
1873 Alexander Mackenzie, premier ministre du Canada jusqu'en 1878.		Arthur Buies, *Chroniques, humeurs et caprices*. Adolphe Basile Routhier, *Portraits et pastels littéraires*.
1877		Hector Fabre, *Chroniques*.
1878 John Alexander Macdonald, premier ministre du Canada jusqu'en 1891).	Fondation du journal *The Gazette* (1878).	
1879 Joseph-Adolphe Chapleau, premier ministre du Québec jusqu'en 1882.	Fondation du journal *La Patrie*.	
1884	Laure Conan, *Angéline de Montbrun*. Fondation du journal *La Presse* à Montréal.	
1885 Bataille de Batoche. Pendaison de Louis Riel à Régina, Saskatchewan.		

Tableau chronologique (1867-1946)			
ÉVÉNEMENTS SOCIO-HISTORIQUES AU QUÉBEC	ÉVÉNEMENTS LITTÉRAIRES ET CULTURELS AU QUÉBEC	ESSAIS PUBLIÉS AU QUÉBEC	
Honoré Mercier, premier ministre du Québec jusqu'en 1891.	Louis Fréchette, *La légende d'un peuple*.	Jules-Paul Tardivel, *Mélanges ou recueil d'études religieuses, sociales, politiques et littéraires*, jusqu'en 1903.	1887
	Fondation de l'École littéraire de Montréal.		1895
Wilfrid Laurier, premier ministre du Canada jusqu'en 1911.	Fondation de la Librairie Déom.	Edmond de Nevers, *L'avenir du peuple canadien-français*.	1896
		Thomas Chapais, *Discours et conférences*.	1897
	Fondation du Théâtre des Variétés.		1898
Fondation de la première Caisse populaire à Lévis. Construction du Trans-Continental.	Honoré Beaugrand, *La chasse-galerie, légendes canadiennes*.	Robertine Barry, *Chroniques du lundi*. Edmond de Nevers, *L'âme américaine*.	1900
	Rodolphe Girard, *Marie Calumet*.		1904
Lomer Gouin, premier ministre du Québec jusqu'en 1920.	Fondation du journal *Le Devoir* (1910)		1905
		Camille Roy, *Essais sur la littérature canadienne*.	1907
		Jules Fournier, *Souvenirs de prison*.	1910
	Adjutor Rivard, *Chez nous*. Fondation de *L'Action française*.		1914
	Louis Hémon, *Maria Chapdelaine*.		1916
Droit de vote des femmes aux élections fédérales.			1917
	Albert Laberge, *La Scouine*.	Camille Roy, *Manuel d'histoire de la littérature canadienne-française*.	1918

	Tableau chronologique (1867-1946)		
	ÉVÉNEMENTS SOCIO-HISTORIQUES AU QUÉBEC	**ÉVÉNEMENTS LITTÉRAIRES ET CULTURELS AU QUÉBEC**	**ESSAIS PUBLIÉS AU QUÉBEC**
1918			Henri Bourassa, *La langue, gardienne de la foi.*
1920	Louis-Alexandre Taschereau, premier ministre du Québec jusqu'en 1936.		Victor Barbeau, *Les cahiers de Turc,* jusqu'en 1927.
1921	W. L. Mackenzie King, premier ministre du Canada jusqu'en 1930.		
1922		Fondation de l'École des Beaux-Arts de Montréal. Lionel Groulx, *L'appel de la race.*	Jules Fournier, *Mon encrier.*
1923			Henri Bourassa, *Patriotisme, nationalisme, impérialisme.*
1924			Lionel Groulx, *Notre maître le passé.*
1925		Soirées de l'École littéraire de Montréal.	
1926			Jean-Charles Harvey, *Pages critiques sur quelques aspects de la littérature française au Canada.*
1928			Louis Dantin, *Poètes de l'Amérique française.*
1929	Création de la Ligue pour les droits de la femme par Thérèse Casgrain. Fondation de l'Université Concordia, à Montréal.	Alfred Desrochers, *À l'ombre de l'Orford.*	
1930	Richard Bedford Bennett, premier ministre du Canada jusqu'en 1935. Loi d'aide aux chômeurs.		Camille Roy, *Regards sur nos lettres.*
1931	Le Statut de Westminster accorde la souveraineté législative au Canada.		Alfred Desrochers, *Paragraphes.*

Tableau chronologique (1867-1946)			
ÉVÉNEMENTS SOCIO-HISTORIQUES AU QUÉBEC	**ÉVÉNEMENTS LITTÉRAIRES ET CULTURELS AU QUÉBEC**	**ESSAIS PUBLIÉS AU QUÉBEC**	
		Albert Pelletier, *Carquois*. Louis Dantin, *Gloses critiques*.	1931
	Claude Henri Grignon, *Un homme et son péché*.	Claude Henri Grignon, *Ombres et clameurs*.	1933
Création de la Banque du Canada.	Jean-Charles Harvey, *Les demi-civilisés*.		1934
W. L. Mackenzie King, premier ministre du Canada jusqu'en 1948			1935
Maurice Duplessis, premier ministre du Québec jusqu'en 1939.		Claude Henri Grignon, *Les pamphlets de Valdombre*.	1936
	Félix Antoine Savard, *Menaud, maître-draveur*. Saint-Denys Garneau, *Regards et jeux dans l'espace*.	Olivar Asselin, *Pensées françaises*. *Pages choisies*.	1937
	Alphonse Ringuet, *Trente arpents*. Jean Narrache, *J'parl'pour parler*.		1938
Adélard Godbout, premier ministre du Québec jusqu'en 1944.			1939
Droit de vote des femmes aux élections provinciales.			1940
Loi de l'instruction obligatoire jusqu'à 14 ans.	Anne Hébert, *Les songes en équilibre*.		1942
Maurice Duplessis, premier ministre du Québec jusqu'en 1959.		François Hertel, *Nous ferons l'avenir*.	1943
	Alain Grandbois, *Les îles de la nuit*.		1944
	Germaine Guèvremont, *Le Survenant*. Gabrielle Roy, *Bonheur d'occasion*.		1945
	Première exposition des Automatistes à Montréal.		1946

Adolphe Basile ROUTHIER
(1839-1920)

Notre littérature en 1870
1881

HISTOIRE

1   Ceux qui se disputent l'honneur d'être les pères de la littérature
canadienne ont évidemment trop bonne opinion de leur fille. S'ils la
considéraient de plus près, ils n'en réclameraient pas si haut la paternité. C'est une assez jolie fille, je l'admets, et quoique très faible
5   encore, il y a lieu d'espérer qu'elle vivra. Mais elle est bien fluette et
ses traits ne sont pas très distingués. Sa figure a quelque chose de
commun, que l'on se rappelle toujours avoir vu quelque part. Elle
peut avoir des charmes pour ses parents ; mais elle est bien loin d'être
10 ce qu'on appelle une beauté. Elle manque de couleur, d'expression,
de nerf et de vie. Cependant, je suis de ceux qui croient qu'elle grandira parce qu'elle est de bonne race. Elle est fière et digne et ce n'est
pas elle qui voudrait se traîner dans la fange où l'on voit éclore tant
15 de romans et de vaudevilles [1] français. Elle est profondément religieuse et sa voix n'insulte pas Dieu, ni la religion.
        Je puis affirmer la chose sans restriction ; car les insulteurs de la
religion, dans notre pays, sont rares, et comme la plupart ne savent pas
20 la grammaire, il ne peut pas être question d'eux quand je parle de littérature. Ce qui distingue notre littérature, c'est son amour du beau et
du vrai. Le beau c'est le laid, n'est pas sa devise [2]. Elle est un art et non
pas un métier. Nos écrivains sont, à peu d'exceptions près, des poètes

---

1. Vaudeville : au théâtre, comédie légère et divertissante.
2. « Le beau c'est le laid » : c'était justement la devise des écrivains romantiques français du
XIXᵉ siècle.

et non des machinistes, Nous n'avons pas pour les culs-de-jatte, les
25 bossus, les courtisanes et toutes les autres laideurs physiques et morales,
ce goût particulier que nourrissent Victor Hugo, Eugène Sue, A. Dumas,
Théophile Gautier et bien d'autres.

Elle possède le fond ; il faut lui donner la forme. Or, son défaut
capital c'est de manquer d'étude.

30 Elle n'a pas assez de connaissances, et l'esprit de ses maîtres n'est
pas suffisamment meublé. J'en connais qui phrasent très bien, et qui
n'ont aucune érudition. Or, ceux-là pourront faire une bonne page,
jamais un bon livre.

Mais tout jeune qu'elle soit, la littérature canadienne est pleine de
35 promesses et nous aurons droit d'en être fiers, quand elle sera parvenue
à maturité.

Thomas CHAPAIS
(1858-1946)

Littérature vivante et héroïque
1889

CULTURE

I

1   Les lettres ne fleurissent chez un peuple que lorsqu'il a traversé les grandes crises de la croissance nationale, la période de la lutte pour l'existence, pour l'expansion, pour l'autonomie ou pour l'hégémonie.

Ce n'est qu'après les Thermopyles et Marathon, après Salamine et
5 Platées, que les lettres et l'art grecs produisirent cette merveilleuse poussée de chefs-d'œuvre qui mit une couronne immortelle au front du siècle de Périclès. Le siècle d'Auguste, de Virgile et d'Horace, ne s'est levé sur Rome et sur le monde qu'après Pyrrhus et Jugurtha, après Annibal et Mithridate, après Catilina et Spartacus, après trois
10 cents ans de guerre contre l'univers, armé pour conjurer le génie dominateur des fils de Romulus. Et en France, cette magnifique efflorescence qu'on a appelée le siècle de Louis XIV, ce glorieux et sublime essor du génie français vers les sommets de l'art, de l'éloquence et de la poésie, avaient été précédés par une longue série de luttes sanglantes,
15 de discordes civiles et religieuses, par les formidables épreuves de la guerre de Cent Ans, de la Réforme, de la Ligue et de la Fronde.

Voilà ce que l'histoire nous enseigne.

II

L'histoire s'est répétée pour nous. Pendant cent cinquante ans, nos ancêtres se dépensèrent ici en combats de géants. Toutes les épreuves
20 et tous les périls semblaient avoir été réservés à cette poignée de héros,

jetés comme les sentinelles perdues de la France et de la civilisation
dans les solitudes glacées de l'Amérique du Nord.

Luttes contre la nature vierge, rivalités des Compagnies, conflits
d'autorités, disette et pénurie désastreuses, incursions sanglantes des
25 indomptables Iroquois, invasions réitérées des colons remuants et jaloux
de la Nouvelle-Angleterre ; guerre en Acadie, à l'Île Royale, à Terreneuve,
à la Baie d'Hudson, sur le lac Ontario, sur le lac Champlain, à la Belle-
Rivière ; guerre au sud, au nord, à l'est et à l'ouest : telle fut notre histoire sous la domination française.
30 Ne soyons pas surpris qu'il n'y ait pas eu ici, durant ce siècle et
demi, de littérature nationale.

III

Et cependant, nous avons sous les yeux le berceau de la littérature
canadienne. Quoiqu'elle ne se manifestât pas encore, elle était née ;
elle existait en puissance dans cette époque glorieuse et tourmentée.
35 En effet, les littératures nationales ne sont le produit d'une éclosion spontanée. Elles sont le résultat d'un long travail de fécondation
et d'élaboration, invisible et mystérieux. Pendant un siècle et demi, ce
travail s'est fait au sein de la Nouvelle-France. Les éléments consti-
tutifs des lettres canadiennes s'élaboraient au milieu de nos orages et
40 de nos combats. Nos aïeux faisaient de la littérature, mais une littérature vivante et héroïque.

Ils respiraient une atmosphère épique, et chaque jour voyait naître
sur leurs pas une page d'épopée. Le souffle lyrique animait, soulevait,
emportait dans un essor puissant et continu ces générations vaillantes
45 dont les exploits contenaient en germe des odes plus sublimes que celles
de Pindare et d'Horace. Le drame était partout : au fond des forêts
pleines d'embûches et de mystère, sur les flots ensanglantés des rivières
et des lacs lointains, à l'ombre même des forts et des habitations, et
jusque sous les batteries de nos villes naissantes. Quant à l'histoire, elle
50 se faisait de toutes pièces ; elle se rédigeait à coups de hache et d'épée,
à coups de flèche et de mousquet ; elle s'écrivait avec la croix, le canon
et la charrue ; elle s'imprimait en sillons profond sur le sol fertilisé de

la Nouvelle-France ; elle se burinait sur le granit des montagnes et sur les murs des forteresses.

55 Durant cent cinquante ans, nos ancêtres semèrent ainsi à pleines mains, dans les faits, dans les traditions, dans les souvenirs, dans l'âme populaire et le génie national, la semence généreuse d'où devaient sortir les moissons littéraires de l'avenir : moissons de légendes et de récits épiques, moissons de chants et de ballades, moissons de poésie et
60 d'histoire, dont notre siècle a vu l'heureuse et pacifique germination.

Ah ! nos pères étaient de grands maîtres, et nous ne sommes que de pâles copistes, que des traducteurs, souvent inégaux à la tâche de fixer, sur une page ou dans un livre, les splendeurs de l'œuvre originale !

Adolphe Basile ROUTHIER

(1839-1920)

Les grands revenants
1898

CULTURE

1   **VISION**

Quel contraste ! me disais-je, et en même temps quel accord entre ce jour et demain ! Aujourd'hui, c'est la fête de tous les Saints, et c'est avec des transports de triomphe que nous avons chanté ce refrain :

5   *Ils moissonnent dans l'allégresse*
               Ce qu'ils ont semé dans les pleurs.

Demain, c'est je jour des Morts, et dans l'église toute tendue de noir retentira, après le glas funèbre, l'hymne entrecoupée de sanglots du *Dies irae*[1].

10   Et je me sentais envahir par une angoisse immense à cette pensée : tous les saints sont parmi les morts ; mais tous les morts ne sont pas parmi les saints !

La nuit était calme et sereine. La cité dormait dans le silence et la paix. Et je songeais à ces autres cités, qui sont aux portes de la ville, et 15 qui sont plus silencieuses encore, quoiqu'elles renferment une population plus nombreuse et plus dense — le peuple des morts.

Tout oppressé par le souvenir des nombreux habitants que je connais dans ces villes funèbres, je fermai mon livre, et je sortis, dans l'espoir que l'air frais de la nuit soulagerait ma tête brûlante de fièvre.

---

1. *Dies irae :* prière pour les morts commençant par ces mots qui signifient « jour de colère ».

20   Je longeais le mur du Château Frontenac[1] lorsque minuit sonna aux horloges du Parlement et de l'Hôtel de ville. Les sons arrivèrent lentement, à des intervalles égaux, comme des glas funèbres ; et ils avaient à peine cessé lorsque la trompette de la Gloire du monument Champlain retentit. Son appel fut court mais éclatant, *tuba mirum*
25   *spargens sonum*[2] !

Alors, je vis un grand fantôme se lever de terre en arrière du bureau de poste, et monter lentement la colline de la terrasse.

Il n'avait rien des apparences décharnées et rigides de la mort, rien de la nudité horrible et des os blanchis du squelette.

30   Son corps était glorieux, transparent, et semblait revêtu d'une chair vivante et lumineuse. Il était enveloppé d'amples vêtements blancs comme les vingt-quatre vieillards de l'Apocalypse[3] ; mais les lignes de sa personne étaient indécises, car un brouillard léger, irisé par les rayons de la lune, flottait autour de lui.

35   Il s'approcha du monument Champlain, et le considéra longtemps, en en faisant le tour ; puis il s'éleva de terre jusqu'à la statue du grand homme et sembla se confondre en elle en la revêtant d'une enveloppe lumineuse.

Quelques instants après, je l'aperçus accoudé à la balustrade de la
40   terrasse regardant dans la direction de Notre-Dame-des-Victoires.

Tout absorbé dans sa contemplation il se mit à parler à voix haute, et voici ce que j'entendis :

« Quel bonheur j'éprouve toujours à revoir ces lieux ! Mais c'est à peine si je les reconnais tant ils sont changés... Comme tout ce qu'il y
45   a de matériel dans nos œuvres se défait et tombe en poussière ! Que sont devenus "mon habitation", ma chapelle, mon fort ? Il n'en reste

---

1. Château Frontenac : hôtel surplombant le cap Diamant et qui fut construit à la demande de la compagnie ferroviaire Canadien Pacifique (CP). Depuis 1893, il constitue, avec la terrasse Dufferin qui s'étend à ses pieds, un emblème de la ville de Québec.

2. *Tuba mirum* : premier vers d'une partie du requiem, messe pour les morts, qui peut se traduire ainsi : « La trompette répandant la stupeur parmi les sépulcres, rassemblera tous les hommes devant le trône. »

3. Dans la Bible (Apocalypse, 4 : 4), il est écrit que, lors du Jugement dernier, vingt-quatre vieillards, tous vêtus de blanc immaculé et portant une couronne d'or, entoureront le Trône de Dieu, reconnaissant ainsi son pouvoir divin.

plus que des atomes perdus dans le sol. Mais tout ce qu'il y avait d'idéal et de surnaturel dans mon œuvre a survécu à toutes les puissances de destruction. L'immatériel seul subsiste et se perpétue, au milieu des ruines que les siècles entassent ! Que j'ai donc eu raison de m'attacher au surnaturel des choses, et d'asseoir ma fondation sur un principe qui défie les ravages du temps ! Non seulement ce principe de vie a fécondé l'humble semence que j'ai jetée dans ce sol, et lui a assuré l'avenir. Non seulement il m'a donné la félicité dans le monde des âmes ; mais par un retour imprévu des choses humaines, il m'attire aujourd'hui la gloire sur terre et les applaudissements des hommes ! Cela n'importe guère dans le monde où je vis ; mais je m'en réjouis parce que cela sert à la glorification de Dieu »...

En poursuivant son soliloque, Champlain [1] — car le revenant, c'était lui — se dirigea vers le Château Frontenac.

Quand il arriva à la grande poterne arquée qui s'ouvre entre les deux ailes du château, il se trouva en face d'un autre fantôme glorieux qui en sortait.

— Frontenac [2] ! s'écria-t-il, et tous deux s'étreignirent dans une accolade chaleureuse.

— Je t'attendais, père, dit Frontenac. Cet admirable petit coin de notre chère Nouvelle-France devait irrésistiblement nous réunir cette nuit !

— Nouvelle-France ! c'est bien de ce nom que j'avais baptisé en effet cette terre choisie, où je voulais imprimer l'image de la mère-patrie. Et quand j'en dessinais la carte, j'étais loin de penser que je travaillais pour l'Angleterre !

— Hélas !

— Il ne faut pas dire « hélas ! » mon cher ami, puisque Dieu l'a voulu. Ses décrets sont encore bien mystérieux pour nous, parce que nous ignorons l'avenir ; mais Lui sait ce qu'Il fait et ce qui est mieux. Remarque bien, d'ailleurs, qu'Il n'a pas détruit notre

---

1. Samuel de Champlain (1567-1635) : navigateur et géographe français, il fonde l'Acadie, puis la ville de Québec en 1608.
2. Louis de Buade, comte de Frontenac (1622-1698) : courageux militaire français nommé gouverneur et lieutenant général de la Nouvelle-France en 1672.

œuvre ; Il l'a seulement modifiée. L'édifice est debout, et le nom inscrit sur la façade est seul changé !

80   — C'est égal, je me glorifie toujours d'avoir repoussé l'amiral Phipps[1] !

    — Tu as raison, et quand tu lui as fait ta fière réponse, j'ai ai tressailli au fond de mon tombeau.

    — C'était ton devoir, et quand j'ai moi-même répondu aux sommations de David Kertk[2], j'obéissais à la même impulsion patriotique et au même devoir. Je fus moins heureux que toi, et je me souviens encore de mon poignant chagrin quand il me fallut capituler. Mais la Providence, qui m'avait tout enlevé, me rendit tout, trois ans après.

90   — Soumis désormais à sa volonté sainte, attendons avec confiance l'accomplissement de ses impénétrables desseins. Qui sait ce que l'avenir réserve à nos descendants !...

En causant ainsi, les deux fantômes se promenaient sur la terrasse, admirant la beauté des paysages qui les défendaient jadis contre la 95 nostalgie, et se réjouissant des développements de leur œuvre.

    — Tiens, disait Frontenac, c'est là-bas que les vaisseaux de Phipps avaient jeté l'ancre, et c'est ici que je reçus mon parlementaire.

    — Voici l'endroit, reprenait Champlain, en l'indiquant de la main, où j'avais bâti mon fort, et c'est au versant de cette colline que 100 s'élevait à l'ombre de grands arbres la chapelle où je fus enterré.

    — Et maintenant, tu dois te sentir grandir en voyant le splendide monument qui a remplacé ton vieux fort.

    — Mon cher Frontenac, ce sont nos œuvres qui, en grandissant, nous font grandir avec elles. Qu'était Romulus quand il entoura 105 d'un fossé sur la colline du Palatin l'humble habitation qui allait devenir Rome ?

---

1. Le 16 octobre 1690, les troupes anglaises de l'amiral Phipps, en provenance de Boston, arrivent devant Québec. Cet affrontement est devenu célèbre par la réponse que Frontenac a faite à son messager : « Je nay point de réponse à faire a vostre général que par la bouche de mes canons et à coups de fuzil ! »

2. En 1629, pendant le conflit qui oppose catholiques et protestants, Champlain doit capituler devant la petite armée commandée par Kertk (David Kirke, souvent appelé en français Kertk). Toutefois, grâce à la Paix de Saint-Germain, signée en 1632, ce territoire est restitué à la France.

— Un obscur aventurier. Mais une grande cité s'est élevée sur son tombeau, et ses habitants ont mis Romulus au rang des dieux !

110 — Qu'étais-je moi-même quand je bâtissais « *l'Habitation de Québec* » ? Un simple marin, inconnu du grand monde. Mais une illustre et belle ville a surgi des cendres de ma demeure ; tout un peuple s'est formé autour d'elle et ce peuple vient de me faire une apothéose !

115 — Allons donc voir l'obélisque de pierre qui s'élève au milieu des arbres du Jardin du Fort.

« Allons », répondit Champlain. Et les deux anciens gouverneurs se dirigèrent de ce côté.

Ils allaient monter l'escalier du jardin lorsqu'ils aperçurent le glorieux vainqueur de Carillon[1] descendre à leur rencontre.

120 Tour à tour ils l'étreignirent dans leurs bras ; et leur transport fut tel qu'ils ne virent pas un quatrième personnage, debout derrière Montcalm[2].

— Quel est donc celui-ci ? demanda Frontenac, en l'apercevant.

— C'est mon vainqueur et mon ami, Wolfe[3], dit Montcalm.

125 Ennemis dans la vie, nous sommes devenus des frères dans la mort, le même jour, dans la même bataille ; et maintenant le même monument redit à la postérité notre gloire commune. Et sur la terre arrosée de son sang et du mien, sa race et la nôtre fraternisent !

130 WOLFE

— Oui, et les deux races sont destinées à ne former qu'un seul peuple.

1. La bataille de Fort Carillon eut lieu le 8 juillet 1758 à Ticonderoga, au sud du lac Champlain. Elle opposait la France et l'Angleterre au cours de la guerre de Sept Ans. Le général français Montcalm et ses 3 600 hommes eurent raison des 16 000 soldats du général anglais James Abercrombie.
2. Louis Joseph de Saint Véran, marquis de Montcalm (1712-1759) : militaire français, il a défendu la ville de Québec contre les troupes de Wolfe lors de la bataille des plaines d'Abraham en septembre 1759.
3. James Wolfe (1727-1759) : militaire britannique, il a commandé l'expédition contre la ville de Québec en 1759.

CHAMPLAIN

– Ah ! général, votre vaillante épée n'est pas de force à trancher cette question, qui est encore un des secrets de l'avenir.

135 ### WOLFE

– Cependant, mes amis, il me semble que l'histoire me donne raison : la Providence a voulu et elle veut que Français et Anglais vivent ensemble et ne forment sur la terre canadienne qu'une seule nation. Vous vous êtes vraiment défendus contre ses 140 décrets : elle vous a fait entrer forcément dans la grande famille d'Albion [1], et nous devons nous traiter mutuellement comme des frères.

MONTCALM

– Oui, sans doute. Mais cette union voulue par la Providence n'a 145 pas assimilé les deux races, et leurs différences de caractère rendent quelquefois leurs frottements un peu rudes.

FRONTENAC

– Voilà. Les Anglais s'appelaient autrefois les Angles, et ils sont restés un peu anguleux ; mais par le frottement les angles s'use-150 ront, et les chocs finiront par disparaître.

MONTCALM

– Il est certain, mon cher Wolfe, que vos compatriotes ont beaucoup appris sous ce rapport. Ils savent maintenant que la liberté est le vrai fondement des États et la vraie sauvegarde des insti-155 tutions. Les tyrans se trompent toujours lourdement. Ils croient bâtir, et ils démolissent. Ils croient assurer l'avenir, et ils le perdent. En tuant, ils font des immortels. Les croix qu'ils dressent deviennent des trônes ; les pierres qu'ils jettent aux lapidés forment des monuments de gloire.

---

1. Albion : désigne l'Angleterre, par allusion à la blancheur de ses falaises de craie que l'on aperçoit de la mer.

160

WOLFE

– Ton éloquence, mon cher ami, prêche un converti. C'est en lui refusant la liberté que ma patrie a perdu la Nouvelle-Angleterre ; et c'est en l'accordant au Canada qu'elle a conservé cette incomparable colonie.

165

CHAMPLAIN

– Très bien dit. Mais cet exemple, Wolfe, ne démontre pas seulement les bienfaits de la liberté ; il prouve aussi combien nos vues sont courtes quand nous plongeons nos regards dans l'avenir.

Quand, au prix de ta vie, tu faisais la conquête de la Nou-
170 velle-France, tu croyais bien que toute l'Amérique du Nord allait faire à jamais partie du royaume britannique. Ta conquête paraissait bien être l'agrandissement de la Nouvelle-Angleterre. Et cependant, ce fut quelques années après seulement que la Nouvelle-Angleterre se sépara violemment de la mère patrie, et
175 fut à jamais perdue pour la couronne britannique.

WOLFE

– Hélas ! Oui, j'en conviens, la formation de la République américaine et sa longue inimitié contre l'Angleterre étaient bien loin d'entrer dans mes prévisions. Mais c'est précisément pour
180 empêcher la même éventualité de se reproduire en Canada que je plaide la cause de la liberté en faveur des deux races.

Ceux qui veulent absolument les fusionner ont tort. La fusion n'est pas nécessaire. Il suffit qu'elles vivent en harmonie ; et leurs dissemblances produiront alors entre elles une noble
185 émulation — ce qui est un élément de progrès dans l'ethnogénie des peuples.

Si jamais l'assimilation se fait, elle sera l'œuvre du temps, et non des hommes. Ceux qui entreprendront d'en hâter l'accomplissement la retarderont ou la rendront impossible.

190 Mais, dis-moi, Champlain, père de la nationalité canadienne-française, qu'espères-tu pour ta fille ? Crois-tu donc à un retour possible de la France en Canada ?

CHAMPLAIN

200

– Oh ! Non. La France a dit son dernier mot dans le traité de 1763. Mais je crois que ce n'est pas pour finir par l'absorption que cette nationalité a survécu à toutes les causes de mort.

Je crois qu'elle est appelée à jouer un rôle important dans les destinées futures de l'Amérique du Nord.

205

Quel sera ce rôle ? Je n'en sais pas plus long que toi-même sur ce problème intéressant.

* * *

Ici, Montcalm rappela à Wolfe qu'ils avaient projeté d'aller revoir les plaines d'Abraham, et qu'ils en avaient juste le temps avant l'aurore.

210

« Et moi, dit Frontenac, je m'en vais à la basilique [1], où j'espère rencontrer Laval [2] à qui j'ai depuis longtemps confessé mes torts, et qui est maintenant mon meilleur ami. »

Les quatre grands revenants se séparèrent donc, et Champlain resta seul à se promener sur la terrasse jusqu'aux premières lueurs de l'aube naissante.

Québec, 1 novembre 1898.

---

1. Cathédrale basilique Notre-Dame-de-Québec : église où Mgr de Laval et Frontenac reposent dans la crypte.
2. François de Montmorency-Laval (1623-1708) : premier évêque de Québec.

Jules-Paul TARDIVEL

(1851-1905)

Le rôle du journal
1903

CULTURE

1   Le journaliste a une terrible responsabilité devant Dieu et les hommes. Il exerce un pouvoir presque sans bornes. Il parle, tous les jours, à des milliers de lecteurs dont il forme imperceptiblement l'esprit et le cœur.

5   Beaucoup se font illusion sur l'importance du rôle que joue la presse dans la société moderne. Un grand nombre croient sincèrement ne lire les journaux que par passe-temps, ou pour se renseigner sur les affaires commerciales, qui n'ont d'autres idées que celles qu'ils puisent dans quelque feuille de trottoir. Ils y cherchent les nouvelles,
10   les renseignements, et ils y trouvent leurs opinions et leurs préjugés.

    L'eau qui tombe goutte à goutte finit par user la pierre la plus dure. Le journal, lu aujourd'hui, lu demain, lu tous les jours, réussit à graver son image dans l'esprit le plus paresseux.

    Il est absolument faux de dire que tel journal n'a pas d'influence. Il
15   n'y a pas de feuille périodique, si mal imprimée, si mal rédigée qu'elle soit, qui n'ait sa part d'influence pour le bien on pour le mal, qui ne creuse son sillon dans le champ des intelligences.

    La presse façonne les peuples à son image, surtout si elle est mauvaise. Le peuple le plus religieux du monde, le plus soumis à l'autorité,
20   qui ne lirait que de mauvais journaux, deviendrait, au bout de trente ans, un peuple d'impies et de révoltés. Humainement parlant, il n'y a pas de prédication qui tienne contre la mauvaise presse. Que disons-nous, grand Dieu, les miracles mêmes n'y tiennent pas!

Ne croyez-vous pas que Lourdes, la Salette et Paray-le-Monial[1]
25 auraient converti la France, sans les mauvais journaux ?

Avons-nous besoin de dire que, pour être bon, le journal doit être
catholique, et que plus une feuille s'éloigne de la vraie doctrine, plus
elle est mauvaise ? L'indifférentisme n'est pas plus permis en journalisme qu'en politique. La parole de Notre-Seigneur : « Celui qui n'est
30 pas avec moi est contre moi, et celui qui ne ramasse point répand »,
s'adresse indistinctement à tous les hommes.

Est-il nécessaire qu'un journal, pour être bon, parle sans cesse de
religion ? Non, mais il doit toujours être prêt à la défendre, il doit réfuter
les erreurs qui se produisent dans la mauvaise presse, à la tribune, au
35 parlement, dans les livres. Il doit apprécier les événements au point de
vue de la justice éternelle, et ne jamais faire appel aux préjugés ni aux
mauvaises passions, ne jamais trahir la vérité lorsqu'elle est attaquée,
ne jamais transiger sur les principes immuables. Le mensonge, les
propos scandaleux, les grivoiseries, lui sont rigoureusement interdits.

40 Les journaux « purement scientifiques », « purement littéraires »,
« purement politiques », « purement d'affaires » sont mauvais, ou
plutôt impossibles. Car il est impossible, et si c'était possible, il ne
serait pas permis d'exclure toute idée de Dieu de la science, de la littérature, de la politique et des affaires. Une science athée, une littérature
45 athée, une politique athée, des affaires athées : voilà le hideux rêve des
philosophes modernes.

Il faut que l'homme de science, l'homme d'État, le littérateur et le
négociant tiennent compte de Dieu. Ce sont là des vérités élémentaires.
Qu'ils sont nombreux, cependant, ceux qui les ignorent ou qui agissent
50 comme s'ils les ignoraient ! Pour notre part, nous voulons donner le
bon exemple en les pratiquant rigoureusement nous-même.

---

1. Lourdes, Notre-Dame de la Salette et Paray-le-Monial : sanctuaires qui sont encore de nos jours
des lieux de pèlerinage en France.

Henri BOURASSA

(1868-1952)

La langue gardienne de la foi
1918

RELIGION

1   S'il y a pour la race irlandaise de tels avantages à faire revivre son idiome national virtuellement passé au rang des dialectes désuets ; si la renaissance de la langue gaélique est presque essentielle à la conservation de la foi et des traditions du peuple irlandais, et que cette
5 entreprise soit réalisable — à combien plus forte raison avons-nous, Canadiens français, le droit et le devoir de maintenir la langue française en Amérique, car cette langue et ses manifestations constituent le principal auxiliaire humain de la foi catholique, des mœurs catholiques, de la mentalité catholique, des traditions catholiques ! Et ce
10 devoir de religion, osé-je dire, nous devons l'exercer pour le bien moral et intellectuel de tous les catholiques, de tous les habitants du continent nord-américain, pour la « spiritualisation » de l'ambiance matérialiste qui nous entoure, pour la gloire de Dieu, le salut des âmes et l'avancement de la société civile dont nous faisons partie. La
15 noblesse de nos origines nous y oblige, autant que l'excellence de notre foi et la fidélité aux grâces de choix dont Dieu a entouré notre berceau. Ai-je besoin d'ajouter que pour l'accomplissement de cette mission, nous avons l'immense avantage d'alimenter notre langue, la plus parfaite des temps modernes, à l'inépuisable trésor de la littéra-
20 ture chrétienne la plus complète du monde.

    La langue française, la *vraie* langue française, est la fille aînée de la langue latine christianisée tout comme la race française, plus encore que la nation française, est la fille aînée de l'Église. Pas l'aînée par rang

d'âge — les dialectes italiens et espagnols l'ont précédée dans la vie des
25 langues modernes issues du latin — mais par ordre de préséance
morale et intellectuelle. Née avec la France chrétienne, grandie et per-
fectionnée sous l'aile maternelle de l'Église, elle s'est plus pénétrée de
catholicisme, de catholicisme pensé, raisonné, convaincu et convaincant que ses sœurs latines, que tous les autres dialectes de l'Europe.
30 Loin de moi la pensée de vouloir rabaisser la valeur des œuvres théo-
logiques ou ascétiques de l'Espagne et de l'Italie, la science profonde
de l'exégèse allemande ; pas davantage de méconnaître les beautés
intrinsèques de ces idiomes, la noble virilité de l'espagnol, l'harmonie
charmeuse de l'italien, la puissance d'expression et la richesse du
35 vocabulaire germanique. Mais tout ce que les autres langues peuvent
réclamer de qualités particulières de saveur originale, est plus que
compensé par les qualités d'ordre général de la langue française. Sa
clarté d'expression, sa netteté, sa simplicité, l'ordre logique de sa syntaxe, la forme directe du discours, la belle ordonnance des mots et des
40 phrases, en font le plus merveilleux instrument de dialectique, de
démonstration et d'enseignement. Elle est faite pour instruire, pour
convaincre, pour entraîner l'homme par le raisonnement la réflexion
simple et le simple bon sens. Même lorsqu'elle s'élève au diapason de
la haute éloquence, qu'elle se laisse emporter sur les ailes du lyrisme
45 ou qu'elle tombe aux bas-fonds de l'invective grossière et des délecta-
tions fangeuses, elle conserve quelque chose de ses qualités essentielles
qui sont l'ordre, la clarté, la mesure et le goût. Sur le dos de Pégase —
comme on disait au temps où nos aïeux partirent de France — elle ne
perd ni le frein ni les étriers. Sur terre, elle se bat en dentelles et court
50 parfois les tripots mais sans rouler sons la table. Les œuvres qui s'écar-
tent totalement de ces règles et de cette tradition peuvent être écrites
avec des mots français, elles ne sont pas françaises.

    Cérébrale avant tout, faite pour l'homme qui pense, cette noble
langue sait aussi exprimer les sentiments les plus généreux du cœur
55 humain, mais pour donner toute sa valeur, elle doit assujettir, même
dans l'expression, les élans de la passion au contrôle de la raison éclairée
par la foi.

Mais, des siècles durant et par les plus clairs génies de la race qui la parle, au service de la foi catholique, de la morale catholique, de l'ordre catholique, de la tradition catholique ; adoptée par les gouvernements comme langue de la diplomatie internationale ; acceptée par les esprits supérieurs de toutes les races et de tous les pays comme le mode de communication le plus propre à permettre aux hommes et aux peuples de se rencontrer, de se parler et de se *comprendre,* dans les sphères les plus hautes de la pensée humaine, elle est devenue la seule langue vivante vraiment catholique, c'est-à-dire universelle, dans tous les sens du mot. Aussi a-t-elle produit, peut-elle produire et doit-elle produire le plus grand nombre d'œuvres propres à convaincre les esprits les plus divers de la vérité du dogme catholique, des nécessités de l'ordre catholique, de la supériorité de la morale catholique, propres aussi à faire admirer par tous les hommes les entreprises et les traditions catholiques, à faire aimer Dieu et l'Église.

Lionel GROULX

(1878-1967)

La naissance d'une race
1920

POLITIQUE

1   Je demeure persuadé que, dans quarante, peut-être trente ou même vingt-cinq ans — l'histoire va si vite — l'indépendance deviendra l'inévitable solution. Le drame des Canadiens français relève du tragique : pourrons-nous rester dans la Confédération sans
5 y laisser notre vie ? Personne, que je sache, n'a encore répondu victorieusement à ce terrible point d'interrogation. [...] C'est donc toute une génération qu'il faut préparer : la génération de l'indépendance.

Il n'y a pas de formes de gouvernement qui tiennent contre le droit à la vie d'une nation. Jamais, et il faut qu'on le sache, nous n'avons
10 voulu d'un État central fort, investi du pouvoir de nous gruger ou de nous broyer dans ses serres. La preuve éclate aujourd'hui sous les yeux de tous : nos folies partisanes n'ont pu amoindrir, encore moins annihiler cette ambition de liberté qui, après une aberration d'un siècle, nous ressaisit soudainement avec une vigueur explosive que nulle
15 puissance politique ou autre ne pourra plus refréner : ambition de posséder un État bien à nous, que j'osais revendiquer il y a quarante ans, et qui me valait alors les épithètes de « séparatiste » ou de révolutionnaire.

Les moyens de vie

20   [...] Si trop souvent nous avons marché en zigzags, comme un pauvre peuple qui aurait perdu son chemin, apparemment écrasé par son destin, c'est que nous avons manqué de chefs et qu'on a négligé de

nous faire une âme. Il vous serait plus agréable, sans doute, et il me
serait plus agréable à moi-même, de vous chanter le glorieux passé, de
25 vous rappeler, avec les trémolos traditionnels, le miracle de notre sur-
vivance, notre indomptable fidélité à notre langue que nous trahis-
sons tous les jours, à nos traditions qui ne sont plus que des souvenirs.
L'heure est trop grave. Le temps est passé des mensonges parfumés et
du gargarisme oratoire.

30 [...] Toute notre histoire derrière nous attesterait également que
nous avons compté, en ce pays, non pas quand nous avons cherché à
nous effacer, à nous faire pardonner notre origine et notre passé, mais
quand, pénétrés de notre droit de vivre, nous l'avons affirmé avec
fierté. Ce qui nous manque, en définitive, ce ne sont ni les raisons ni
35 les moyens de vie : c'est de ne pas ignorer ces moyens et de nous y attacher opiniâtrement. [...]

J'ai un pays à moi

[...] Quand chacun sait ou peut savoir de quelle façon nous avons
été traités, en ce pays, depuis 1867 et depuis 1760, quels traitements de
40 parents pauvres et souvent de parents méprisés l'on nous a faits et l'on
nous faits encore à Ottawa et ailleurs ; quelle situation l'on persiste à
infliger à nos minorités d'un bout à l'autre de la Confédération, je l'ai
dit et je le répète : je n'accepte point cette prédication agaçante et
humiliante qui se donne l'air de nous tenir responsables de la mésen-
45 tente au Canada. Ou à quelques-uns des nôtres, les griefs que j'énu-
mérais tout à l'heure paraissent assez légers ; qu'ils ne ressentent ni les
injures ni les coups comme nous les ressentons : possible. Mais de quel
droit ces gens-là pourraient-ils exiger que nous ayons le cœur où ils
l'ont ? [...] Le Canada français de demain, création originale, sera la
50 chair de votre chair, la fleur de votre esprit [...]. Vous le ferez pour
qu'enfin, dans la vie d'un petit peuple qui n'a jamais eu, quoi que l'on
dise, beaucoup de bonheur à revendre, il y ait une heure, un jour de
saine revanche, où il pourra se dire comme d'autre : j'ai un pays à
moi ; j'ai une âme à moi ; j'ai un avenir à moi !

Camille ROY

(1870-1943)

Notre littérature en service national
1928

CULTURE

1   Servir : telle doit être la mission de l'écrivain, et telle la mission
d'une littérature.

C'est pourquoi l'écrivain doit rester en contact étroit avec son pays
et, si l'on peut dire, exister en fonction de sa race.

5   L'écrivain qui n'est pas fortement enraciné au sol de son pays, ou
dans son histoire, peut bien s'élever vers quelque sommet de l'art,
monter vers les étoiles… ou dans la lune, mais il court le risque de
n'être qu'un rêveur, un joueur de flûte, ou d'être inutile à sa patrie.
Certes, je ne dis pas que seule la littérature patriotique, ou la littéra-
10   ture régionaliste, ou la littérature de terroir, puisse servir la nation à
laquelle appartiennent le poète ou le prosateur. Non ! la littérature
peut chercher son objet plus loin que l'horizon du pays où est né
l'écrivain, et plus haut que les choses de ce pays ou les monuments de
son histoire : elle peut aller même jusqu'aux étoiles : elle peut être, elle
15   doit être encore et au besoin, humaine, c'est-à-dire qu'elle peut et doit
dépasser toutes frontières, s'étendre à tout ce qui est digne de la pensée
et de la destinée de l'homme. Servir l'humanité, n'est-ce pas, et d'une
façon supérieure, servir son pays ?

Seulement alors même que l'écrivain porte sa pensée sur des sujets
20   supérieurs à tout intérêt national, ou extérieurs à son pays, il ne peut
pas, s'il est fortement original et sincèrement lui-même, ne pas mettre
sur ces produits de sa pensée la marque de l'esprit national, et ne pas
les imprégner des vertus de sa race. *Le Cid* de Corneille a beau être un

sujet exotique de tragédie, il est un chef-d'œuvre français ; les *Pensées*
de Pascal ont beau être un sujet d'universelle philosophie, elles sont de
telle sorte exprimées et mises en axiomes, qu'elles portent le sceau du
génie de la France.

Il reste donc vrai de dire que la littérature pousse ses premières
racines, et les plus profondes, dans la terre natale, et dans la vie spirituelle de la nation, et que, quelle que soit la fleur qu'elle produise, fleur
d'humanité ou fleur du terroir, cette fleur porte en son éclat un reflet
nécessaire de l'esprit qui l'a fait monter vers la lumière.

Je sais bien que chez nous l'on a reproché à nos écrivains de n'avoir
pas toujours été assez eux-mêmes, et d'avoir trop souvent démarqué la
littérature de France, et que ce reproche, en ce qui concerne surtout
nos ouvrages d'imagination, comporte beaucoup de vérité ; et que
cette vérité constatée prouve soit l'insuffisance encore trop grande de
nos moyens, soit une déviation de certaines disciplines intellectuelles.
Mais je sais bien aussi que, malgré ce défaut d'imitation trop livresque
dont peu à peu nous nous débarrassons, notre littérature est dans une
grande mesure, et dans la plus grande, canadienne. Elle a fatalement
obéi à cette loi qui veut qu'une littérature, dans son ensemble, accompagne de ses oeuvres et de son art les développements, les évolutions
de la vie d'un peuple, et que son rôle prenne de ce fait une nécessaire
valeur historique.

Depuis Étienne Parent qui créa notre journalisme, et depuis Garneau qui écrivit notre première histoire ; depuis Crémazie qui com-
posa le poème du *Vieux Soldat,* depuis Fréchette qui chanta notre
héroïque *Légende ;* et depuis Pamphile Le May qui parfuma des odeurs
du terroir ses strophes familières ; depuis de Gaspé qui raconta nos
Anciens Canadiens et Arthur Buies qui burina ses vives *Chroniques ;*
depuis tous ces pionniers de nos lettres jusqu'aux écrivains qui
aujourd'hui, dans le domaine de l'histoire, de la poésie, du roman, de
la philosophie et de l'éloquence, produisent une œuvre toujours
meilleure, notre littérature s'est appliquée aux choses de chez nous,

elle s'est alimentée principalement de substance canadienne. Malgré certaines naïves ou trop serviles imitations, elle fut en somme, et en son fond, une littérature canadienne.

Depuis ses origines jusqu'à nos jours, notre littérature canadienne-
60 française est en service national.

Olivar ASSELIN

(1874-1937)

L'AGNEAU NATIONAL

Pensée française
1913

RELIGION

1   La Saint-Jean[1], fête nationale canadienne-française, n'avait jamais, depuis longtemps, donné lieu à la moindre manifestation pratique de l'esprit, de la pensée française ; les processions qu'on faisait par les chemins, les feux qu'on allumait sur les collines, les messes
5   mêmes qu'on allait entendre dans les temples ou sur les places publiques, étaient devenus autant de rites machinaux, dont le croissant éclat coïncidait avec l'affaiblissement de la conscience, de la dignité, de la volonté nationale.

Il y a dans les Écritures et dans la liturgie catholique des passages
10   où le Messie-Rédempteur est comparé à l'agneau sacré des sacrifices ; partir de là pour prétendre que la suppression de l'agneau dans nos processions serait un acte d'anticatholicisme, c'est un peu forcer la note. Les premiers chrétiens se reconnaissaient au signe du poisson : s'ensuit-il qu'on ne pourra plus, sans manquer de respect à l'Église,
15   dire du mal du maquereau ? Faudra-t-il désormais éviter de qualifier de requin un usurier et de petit poisson un malhonnête homme ? On peut vouloir le maintien de la tradition chrétienne dans nos sociétés nationales et souhaiter que le glorieux labarum de Constantin[2] : *In hoc signo vinces*, remplace un jour l'agneau devenu chez nous, bien

---

1. Le 24 juin.
2. Labarum de Constantin : étendard sur lequel l'empereur romain Constantin fit placer une croix avec l'inscription latine signifiant : « Par ce signe tu vaincras ».

20 moins qu'un symbole religieux, l'emblème de la soumission passive et
stupide à toutes les tyrannies.

Même un enfant et un agneau peuvent faire un joli effet héraldique ; et si cela peut arranger les choses, je consens à repousser
comme sujet de bannière le labarum inspirateur des victoires pour
25 l'agneau inspirateur de sacrifices. Mais quand, pour satisfaire la
volonté philistine[1], on promène toute une matinée sous un soleil brû-
lant, au risque de le rendre idiot pour la vie, un joli petit enfant qui n'a
fait de mal à personne et à qui, neuf fois sur dix, la tête tournera de
toute manière ; quand, à cet enfant, l'on adjoint un agneau qui, se
30 fichant de son rôle comme le poisson, en pareille occurrence, se fiche-
rait du sien, lève la queue, se soulage et fait bê ! ; et que, derrière cet
enfant et cet agneau, on permet à un papa bouffi d'orgueil d'étaler sa
gloire d'engendreur en ayant l'air de dire à chaque coup de chapeau :
« L'agneau, le voilà ; mais le bélier c'est moi ! » — si je veux bien ne pas
35 mettre en doute la sincérité de ceux qui m'invitent à saluer, au nom du
patriotisme, ce triste et bouffon spectacle, je veux aussi, sans manquer
de respect ni à la Religion ni à la Patrie, pouvoir m'écrier : ce gosse qui
fourre nerveusement ses doigts dans son nez et qui, pour des raisons
faciles à deviner, ne demande qu'à retourner au plus tôt à la maison,
40 ce n'est pas saint Jean, c'est l'enfant d'un épicier de Sainte-
Cunégonde[2].

---

1. Philistine : vulgaire (d'après le peuple peu instruit combattu par Samson dans la Bible).
2. Sainte-Cunégonde : paroisse ouvrière du sud-ouest de Montréal (aujourd'hui le quartier Saint-Henri).

Idola SAINT-JEAN

(1880-1945)

FEMMES

LE RÔLE SOCIAL DU FÉMINISME

La Sphère féminine
1937

1   Mesdames et Messieurs, le féminisme n'est pas une rêverie d'uto-
piste, une boutade de cerveaux exaltés, c'est la revendication juste et
légitime de la femme à ses droits d'être humain.

     Cette définition que donne du féminisme la première femme qui
5   reçut un doctorat en philosophie de l'Université de Paris, Mlle Léon-
tine Zanta, définit bien, il me semble, ce grand mouvement, poussé
par l'évolution sociale et qui alimente ses racines non pas tant dans les
injustices séculaires dont la femme fut victime, ni dans ses souffrances,
mais bien dans les couches les plus profondes d'une société progres-
10   sive, et qui survivra à toutes les attaques et qui s'exprimera envers et
contre tous.

     Il n'est plus possible à la femme, qui, après tout a sa destinée d'être
humain, de vivre isolément, enfermée dans les murs de son foyer, ces
murs fussent-ils dorés ou crevassés, il lui faut se fusionner, travailler
15   librement au relèvement d'une société qui a besoin de son influence et
de la pleine expression de sa personne humaine, comme mère, comme
sœur de charité et comme éducatrice.

     Puisque, comme le dit la philosophie chrétienne, l'homme
n'atteint son plein développement que dans la vie sociale, il en est de
20   même pour sa compagne qui a été trop longtemps prisonnière dans
un ordre social qui périclite et qui réclame à grands cris son influence
[...].

Jusqu'à l'hécatombe de 1914, la femme avait, à de rares exceptions près, accepté son exclusion de presque tous les domaines de l'activité
25 humaine, admettant, on lui avait si souvent répété, son incapacité. Le tragique événement la força de sortir de sa torpeur, il lui fallut combler les vides que l'homme, qui se ruant sur les champs de bataille, laissait dans les rouages de la vie qui voulait continuer quand même. La femme accomplit alors toutes les besognes, se découvrit elle-même
30 et ayant goûté à la satisfaction que donne à l'être humain la conscience d'être utile, elle ne voulut pas reprendre sa vie facile d'avant-guerre. Je dis « facile » pour quelques-unes, mais combien pénible pour d'autres. De plus, le déséquilibre économique et social résultant de la grande tuerie lui imposa, dans bien des cas, la nécessité de rester dans la
35 mêlée, elle lutta pour obtenir sa place au soleil dans un monde dont l'homme seul est le législateur, et le féminisme est en pleine marche en avant, et plus vite on l'acceptera, mieux il en sera pour tous, car à l'instar des grands courants, il est mené par les lois invisibles qui, plus fortes que les lois des hommes, s'expriment de façon irréductible.

40   Dans les sociétés humaines, à mesure que la raison s'éclaire, elle cherche un état meilleur que l'état présent, elle rêve de refondre la société et de la rétablir sur des bases plus justes pour rendre plus réelle l'égalité des personnes, pour mieux assurer le respect de tous les droits et l'accomplissement de tous les devoirs.

45   De là l'épanouissement du féminisme, qui veut, pour plus de la moitié du genre humain, une liberté nécessaire au plein développement de la personne de la femme qui secoue des chaînes à jamais séculaires et qui, dans une humanité en faillite, veut coopérer à une restauration qui ne peut s'obtenir que grâce au respect des droits de
50 chacun et à un idéal fait de justice de compréhension et d'amour calqué sur le sublime contrat social que nous a laissé le Maître des Maîtres dans le Sermon sur la Montagne [1].

La place à laquelle la femme aspire n'est pas la place de l'homme comme certains faux prophètes le proclament avec un manque total

---

1. Sermon sur la Montagne : référence à l'Évangile selon Matthieu dans la Bible (Matthieu, 5 :1 et 7 :28).

55 de compréhension et de savoir, mais c'est la sienne propre comme
    compagne, comme associée, comme être participant en tout à l'édifi-
    cation d'un État social auquel elle n'est nullement étrangère, mais qui
    l'affecte comme il affecte l'homme, le couple humain étant essentiel-
    lement solidaire.

60   Le grand courant auquel le féminisme doit son impulsion première
    et le renouvellement continuel de ses énergies est bien le sentiment de
    la solidarité sociale. Comprenons que ce qui fait la raison d'être du
    féminisme, cette force qui porte les femmes à s'égaler à l'homme, n'est
    pas le sentiment de leur exploitation dans la société, ni l'idée de jus-
65 tice, d'égalité ou de droit naturel, mais bien la conscience d'appartenir
    au corps de la nation, c'est-à-dire de ne faire qu'un avec les citoyens
    dans leur lutte pour l'émancipation politique.

        Le féminisme est bien le résultat de cette tendance de l'âme vers la
    liberté qui fortifie ceux qui la pratiquent, comme l'air ceux qui le res-
70 pirent.

        Mené par l'évolution progressive de la société le féminisme, aidé
    par les bouleversements sociaux, entraîne la femme dans l'activité
    professionnelle comme dans l'activité productive, lui fait mieux voir
    les réalités de la vie, de ses luttes comme des possibilités de réaliser un
75 idéal meilleur.

        Changeons le vieil adage de Talleyrand [1], ce fin diplomate qui
    connaissait si bien la nature humaine, et au lieu de son « Cherchez la
    femme » c'est-à-dire la puissance voilée qui tout en se dérobant dirige
    pour le bien comme pour le mal, disons plutôt « place à la femme », à
80 côté de l'homme, et que le couple humain, au grand soleil se donne la
    main et travaille sur un pied d'égalité à rendre meilleure la vie d'une
    humanité assoiffée de justice, de bonté et de liberté.

---

1. Charles-Maurice de Talleyrand-Périgord (1754-1838), dit Talleyrand : homme politique français reconnu pour son esprit.

Paul Émile Borduas et Marcel Barbeau,
membres du groupe des Automatistes.

Le Québec moderne : des idées à la mobilisation (1948-1980)

INTRODUCTION

L e 9 août 1948 marque l'entrée symbolique du Québec dans la modernité. Œuvre phare dans cette période dite de « grande noirceur », le *Manifeste du Refus global* est lancé à la librairie Tranquille, rue Sainte-Catherine à Montréal. Ses signataires sont des artistes de toutes les disciplines : poésie, théâtre, danse mais surtout arts visuels, qui se regroupent sous le nom des Automatistes. Ce texte incendiaire, paru en 400 exemplaires seulement, soulève une vive polémique dès sa parution. À un tel point que le peintre Paul-Émile Borduas, considéré comme l'un des héritiers québécois du mouvement surréaliste français, perd son emploi à la prestigieuse École du Meuble de Montréal, car le ministre Sauvé jugeait ses propos inconciliables avec son poste de professeur. Ce « refus global » dénonçait catégoriquement le climat de peur qui sévissait sous le gouvernement de Maurice Duplessis depuis 1936. Les trop grands pouvoirs d'une bourgeoisie corrompue et les abus d'un clergé bien trop *intéressé* par la vie politique, sociale et civile, alarmaient ces Automatistes. Pourtant, selon plusieurs historiens, ce lucide signal est peut-être arrivé trop tôt, car les Automatistes n'ont pas été compris par la population, passant davantage pour des hurluberlus que pour des précurseurs d'une liberté nouvelle. On leur a reproché, entre autres, de renier le précieux héritage des Canadiens français, alors qu'ils se donnaient plutôt la mission de rompre un temps avec lui pour favoriser l'éclosion d'une nation immobilisée entre Le Noblet et la croix.

Ce point de rupture annonce cependant l'effervescence des milieux intellectuels dans les années soixante où poètes, chercheurs et universitaires revendiquent leur droit à la parole, mais surtout à la liberté de la diffuser. Les textes fondateurs de la pensée intellectuelle d'aujourd'hui seront d'ailleurs écrits et publiés au cours de cette décennie. En 1960, le slogan du gouvernement libéral de Jean Lesage, « Maîtres chez nous », a certainement enflammé les esprits de sorte que cette révolution dite « tranquille » a misé sur le pouvoir subversif des idées, créant par le fait même l'âge d'or de l'essai québécois. De son mythique ouvrage *La ligne du risque* (1963) au plus récent paru en 2006, *L'injustice en armes*, Pierre Vadeboncoeur traverse brillamment toutes les époques, méritant son statut d'auteur incontournable du genre.

Le journaliste André Laurendeau est quant à lui connu comme rédacteur en chef du *Devoir* et comme animateur à la radio et à la télévision de Radio-Canada. À l'époque du *Refus global*, il était même député à Québec et avait ouvertement dénoncé la destitution de Borduas. C'est à lui surtout que l'on doit la création du célèbre terme «joual» qui désigne la *variété* de français parlée par les Québécois. Décriée par certains, vénérée par d'autres, cette langue nationale intervient au cœur de tous les débats. Doit-on la représenter au théâtre? En littérature? Doit-on l'enseigner? Peut-on en être fiers ou devons-nous en avoir honte? Que ce soit par les simples observations d'un enseignant désabusé comme le Frère Untel ou par l'argumentation passionnée du député et poète Gérald Godin, ou plus raisonnée de l'universitaire Jean Marcel, le joual se dissèque et s'analyse sous toutes ses coutures. Le procès du joual, c'est le miroir de la nation québécoise: il atteste de sa vigueur ou de sa déchéance.

Pour que les idées prônées dans l'essai prennent tout leur sens, elles doivent être accompagnées d'actions. Au Québec, plus que jamais, le rêve d'un pays neuf, démocratiquement conquis, tend à se concrétiser. Il prend sa source notamment dans la création du Parti québécois en 1968 par René Lévesque, celui qui encore aujourd'hui est considéré comme le plus grand homme d'État que le Québec ait connu. Lévesque savait galvaniser les foules et faire croire en la magie de la souveraineté, mais il a eu à porter le fardeau de l'échec du référendum de 1980, en ne laissant pour seul souvenir qu'un bien émouvant «à la prochaine fois...» D'un autre côté, les membres du Front de libération du Québec se pressaient d'agir. En 1966, le felquiste Pierre Vallières est incarcéré aux États-Unis pour avoir troublé la paix publique devant l'immeuble des Nations Unies à New York. Dans l'attente de son procès et après une grève de la faim d'un mois, il écrit jour et nuit le récit de son combat. Essai de l'ombre, *Nègres blancs d'Amérique* est publié en 1968 et sera interdit par les autorités politiques pendant la crise d'Octobre de 1970. Parallèlement à Vallières, qui perçoit toujours les Québécois comme des colonisés, Louky Bersianik examine la situation des femmes, ces éternelles *colonisées* sur la Terre des Hommes, dans une allégorie extraterrestre qu'elle a imaginée dans son roman *L'Euguélionne*, dédié à Simone de Beauvoir, «avant qui les femmes étaient *inédites*». Il faut croire que l'essai se greffe de bonne grâce au roman... enfin partout où il se fait entendre.

Tableau chronologique (1948-1980)		
ÉVÉNEMENTS SOCIO-HISTORIQUES AU QUÉBEC	**ÉVÉNEMENTS LITTÉRAIRES ET CULTURELS AU QUÉBEC**	**ESSAIS PUBLIÉS AU QUÉBEC**
1948 Le fleurdelisé devient le drapeau du Québec.	Gratien Gélinas, *Tit-Coq*. Roger Lemelin, *Les Plouffe*. Paul-Marie Lapointe, *La vierge offensée*.	Paul-Émile Borduas, *Manifeste du Refus global*. Alfred Pellan, *Prisme d'yeux*.
1949 Terre-Neuve, dixième province du Canada. Grève de l'amiante.	Création du Théâtre du Rideau Vert à Montréal.	
1950	Anne Hébert, *Le torrent*. Yves Thériault, *La fille laide*. Fondation de la revue *Cité libre*.	
1952	Marcel Dubé, *Zone*.	Ernest Gagnon, *L'homme d'ici*.
1953 Débuts de la télévision canadienne.	André Langevin, *Poussière sur la ville*. Fondation des Éditions de l'Hexagone. Fondation de la revue *Écrits du Canada français*.	
1954 Création d'un impôt provincial au Québec.		
1955 Émeute au Forum de Montréal provoquée par la suspension du joueur de hockey Maurice Richard.		
1956	Fondation du Conseil des Arts du Canada. Marcel Dubé, *Un simple soldat*.	
1958 Grève au journal *La Presse* et à Radio-Canada.	Anne Hébert, *Les chambres de bois*. Jacques Ferron, *Les grands soleils*. Marie-Claire Blais, *La belle bête*.	
1959	Fondation de la revue *Liberté*.	

Tableau chronologique (1948-1980)			
ÉVÉNEMENTS SOCIO-HISTORIQUES AU QUÉBEC	ÉVÉNEMENTS LITTÉRAIRES ET CULTURELS AU QUÉBEC	ESSAIS PUBLIÉS AU QUÉBEC	
Début de la Révolution tranquille. Fondation du Rassemblement pour l'indépendance nationale (RIN). Jean Lesage, premier ministre du Québec jusqu'en 1966.	Fondation des maisons d'édition Hurtubise HMH, Leméac et Éditions de l'Homme. Gérard Bessette, *Le libraire*.	Jean-Paul Desbiens, *Les insolences du Frère Untel*. Gilles Leclerc, *Journal d'un inquisiteur*.	1960
Création du ministère des Affaires culturelles.	Jacques Ferron, *Contes du pays incertain*.	Jean Le Moyne, *Convergences*.	1961
Nationalisation de l'hydroélectricité.		Gilles Marcotte, *Une littérature qui se fait*.	1962
	Jacques Renaud, *Le cassé*.	Pierre Vadeboncoeur, *La ligne du risque*.	1963
Parution du rapport Parent sur l'éducation. Création du ministère de l'Éducation.	Fondation du *Journal de Montréal*. Marie-Claire Blais, *Une saison dans la vie d'Emmanuel*.		1964
	Fondation de la revue *La Barre du Jour*. Réjean Ducharme, *L'avalée des avalés*.	Pierre Vadeboncoeur, *L'autorité d'un peuple*.	1965
	Jacques Godbout, *Salut Galarneau!*		1966
Exposition universelle de Montréal. René Lévesque fonde le Mouvement Souveraineté-Association. Création des cégeps. Fondation du Parti québécois.	Gérald Godin, *Cantouques*. Michel Tremblay, *Les belles-sœurs*.	Jean Éthier-Blais, *Signets*.	1967
Pierre Elliott Trudeau, premier ministre du Canada jusqu'en 1979. Crise d'Octobre.	Gaston Miron, *L'homme rapaillé*.	Fernand Dumont, *Le lieu de l'homme*. Pierre Vallières, *Nègres blancs d'Amérique*.	1968

Tableau chronologique (1948-1980)		
ÉVÉNEMENTS SOCIO-HISTORIQUES AU QUÉBEC	**ÉVÉNEMENTS LITTÉRAIRES ET CULTURELS AU QUÉBEC**	**ESSAIS PUBLIÉS AU QUÉBEC**
1970 Robert Bourassa, premier ministre du Québec jusqu'en 1976.		Fernand Ouellette, *Les actes retrouvés*. André Laurendeau, *Ces choses qui nous arrivent : chroniques des années 1961-1966*. Naïm Kattan, *Le réel et le théâtral*.
1971		Hubert Aquin, *Point de fuite*.
1972 Fondation du Conseil du statut de la femme.	Réjean Ducharme, *L'hiver de force*.	Pierre Vadeboncoeur, *Indépendances*.
1973		Jacques Ferron, *Du fond de mon arrière-cuisine*. Jean Marcel, *Le joual de Troie*.
1974		Fernand Ouellette, *Journal dénoué*. Marcel Rioux, *Les Québécois*.
1975 Jeux olympiques de Montréal.	Fondation des Éditions du Remue-Ménage, maison d'édition féministe.	Jacques Brault, *Chemin faisant*. Jacques Godbout, *Le réformiste, textes tranquilles*.
1976 René Lévesque, premier ministre du Québec jusqu'en 1980.		Jean-Claude Germain, *Un pays dont la devise est je m'oublie*. Louky Bersianik, *L'Euguélionne*.

Tableau chronologique (1948-1980)			
ÉVÉNEMENTS SOCIO-HISTORIQUES AU QUÉBEC	ÉVÉNEMENTS LITTÉRAIRES ET CULTURELS AU QUÉBEC	ESSAIS PUBLIÉS AU QUÉBEC	
Adoption de la Charte de la langue française (loi 101).		Nicole Brossard, *L'amer ou le chapitre effrité*. Hubert Aquin, *Blocs erratiques*.	1977
	Denise Boucher, *Les fées ont soif*.	Jean-Louis Major, *Le jeu en étoile, études et essais*.	1978
		Suzanne Lamy, *D'elles*.	1979
Référendum sur la souveraineté-association.			1980

Paul-Émile BORDUAS
(1905-1960)
et signataires

Manifeste du Refus global
1948

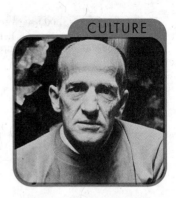

CULTURE

1   Rejetons de modestes familles canadiennes-françaises, ouvrières ou petites-bourgeoises, de l'arrivée du pays à nos jours restées françaises et catholiques par résistance au vainqueur, par attachement arbitraire au passé, par plaisir et orgueil sentimental et autres nécessités.

5   Colonie précipitée dès 1760 dans les murs lisses de la peur, refuge habituel des vaincus ; là, une première fois abandonnée. L'élite reprend la mer ou se vend au plus fort. Elle ne manquera plus de le faire chaque fois qu'une occasion sera belle.

    Un petit peuple serré de près aux soutanes restées les seules dépo-
10 sitaires de la foi, du savoir, de la vérité et de la richesse nationale. Tenu à l'écart de l'évolution universelle de la pensée pleine de risques et de dangers, éduqué sans mauvaise volonté, mais sans contrôle, dans le faux jugement des grands faits de l'histoire quand l'ignorance complète est impraticable.

15 Petit peuple issu d'une colonie janséniste[1], isolé, vaincu, sans défense contre l'invasion, de toutes les congrégations de France et de Navarre, en mal de perpétuer en ces lieux bénis de la peur (c'est-le-commencement-de-la-sagesse !) le prestige et les bénéfices du catholicisme malmené en Europe. Héritières de l'autorité papale, méca-
20 nique, sans réplique, grands maîtres des méthodes obscurantistes, nos

---

1. Colonie janséniste : le jansénisme est une doctrine religieuse qui enseigne que l'homme est toujours soumis au châtiment divin à cause de ses péchés. L'éducation en Nouvelle-France était rigide et austère.

maisons d'enseignement ont, dès lors, les moyens d'organiser en monopole le règne de la mémoire exploiteuse, de la raison immobile, de l'intention néfaste.

25 Petit peuple qui, malgré tout, se multiplie dans la générosité de la chair sinon dans celle de l'esprit, au nord de l'immense Amérique au corps sémillant de la jeunesse au cœur d'or, mais à la morale simiesque [1], envoûtée par le prestige annihilant du souvenir des chefs-d'œuvre d'Europe, dédaigneuse des authentiques créations de ses classes opprimées.

30 Notre destin sembla durement fixé.

Des révolutions, des guerres extérieures brisent cependant l'étanchéité du charme, l'efficacité du blocus spirituel.

Des perles incontrôlables suintent hors des murs.

Les luttes politiques deviennent âprement partisanes. Le clergé
35 contre tout espoir commet des imprudences.

Des révoltes suivent, quelques exécutions capitales succèdent. Passionnément, les premières ruptures s'opèrent entre le clergé et quelques fidèles.

Lentement la brèche s'élargit, se rétrécit, s'élargit encore.

40 Les voyages à l'étranger se multiplient. Paris exerce toute l'attraction. […]

Des œuvres révolutionnaires, quand par hasard elles tombent sous la main, paraissent les fruits amers d'un groupe d'excentriques. L'activité académique a un autre prestige à notre manque de jugement.

45 Ces voyages sont aussi dans le nombre l'exceptionnelle occasion d'un réveil. L'impensable s'infiltre partout. Les lectures défendues se répandent. Elles apportent un peu de baume et d'espoir.

Des consciences s'éclairent au contact vivifiant des poètes maudits : ces hommes qui, sans être des monstres, osent exprimer haut et net ce
50 que les plus malheureux d'entre nous étouffent tout bas dans la honte de soi et la terreur d'être engloutis vivants. Un peu de lumière se fait à l'exemple de ces hommes qui acceptent les premiers les inquiétudes présentes, si douloureuses, si filles perdues. Les réponses qu'ils

---

1. Simiesque : primaire (qui tient du singe).

apportent ont une autre valeur de trouble, de précision, de fraîcheur
que les sempiternelles rengaines proposées au pays du Québec[1] et
dans tous les séminaires du globe.

Les frontières de nos rêves ne sont plus les mêmes.

Des vertiges nous prennent à la tombée des oripeaux d'horizons
naguère surchargés. La honte du servage sans espoir fait place à la
fierté d'une liberté possible à conquérir de haute lutte. Au diable le
goupillon et la tuque! Mille fois ils extorquèrent ce qu'ils donnèrent
jadis.

Par-delà le christianisme, nous touchons la brûlante fraternité
humaine dont il est devenu la porte fermée.

Le règne de la peur multiforme est terminé.

Dans le fol espoir d'en effacer le souvenir je les énumère :
- peur des préjugés — peur de l'opinion publique — des persécu-
  tions — de la réprobation générale
- peur d'être seul sans Dieu et la société qui isole très infailliblement
- peur des relations neuves
- peur du surrationnel[2]
- peur des nécessités
- peur de toutes les formes susceptibles de déclencher un amour
  transformant
- peur bleue — peur rouge — peur blanche : maillons de notre
  chaîne.

Du règne de la peur soustrayante nous passons à celui de
l'angoisse.

Il aurait fallu être d'airain pour rester indifférents à la douleur des
partis pris de gaieté feinte, des réflexes psychologiques des plus
cruelles extravagances : maillot de cellophane du poignant désespoir
présent (comment ne pas crier à la lecture de la nouvelle de cette
horrible collection d'abat-jour faits de tatouages prélevés sur de

---

1. Référence à la « voix du pays de Québec » dans *Maria Chapdelaine*, roman de Louis Hémon,
paru en 1916 au Québec, puis chez Grasset en 1921.

2. Surrationnel : néologisme formé du préfixe latin « sur- », qui marque l'excès, et de « rationnel »,
qui relève de la raison.

malheureux captifs à la demande d'une femme élégante [1]; ne pas gémir à l'énoncé interminable des supplices des camps de concentration; ne pas avoir froid aux os à la description des cachots espagnols [2], des représailles injustifiables, des vengeances à froid). Comment ne pas frémir devant la cruelle lucidité de la science.

À ce règne de l'angoisse toute-puissante succède celui de la nausée.

Nous avons été écœurés devant l'apparente inaptitude de l'homme à corriger les maux. Devant l'inutilité de nos efforts, devant la vanité de nos espoirs passés.

Depuis des siècles, les généreux objets de l'activité poétique sont voués à l'échec fatal sur le plan social, rejetés violemment des cadres de la société avec tentative ensuite d'utilisation dans le gauchissement irrévocable de l'intégration, de la fausse assimilation.

Depuis des siècles, les splendides révolutions aux seins regorgeant de sève sont écrasées à mort après un court moment d'espoir délirant, dans le glissement à peine interrompu de l'irrémédiable descente :

- les révolutions françaises
- la révolution russe
- la révolution espagnole
- avortées dans une mêlée internationale malgré les vœux impuissants de tant d'âmes simples du monde.

Là encore, la fatalité fut plus forte que la générosité.

Ne pas avoir la nausée devant les récompenses accordées aux grossières cruautés, aux menteurs, aux faussaires, aux fabricants d'objets mort-nés, aux affineurs, aux intéressés à plat, aux calculateurs, aux faux guides de l'humanité, aux empoisonneurs des sources vives.

Ne pas avoir la nausée devant notre propre lâcheté, notre impuissance, notre fragilité, notre incompréhension.

Devant les désastres de nos amours...

---

1. Référence au procès de Nuremberg (1945-1946) au cours duquel furent jugés les principaux acteurs nazis de la Seconde Guerre mondiale. Plusieurs témoins ont rapporté que des peaux humaines tatouées étaient entreposées dans des camps de concentration. Elles auraient notamment servi à la fabrication de sacs à main et de reliures. Le premier commandant du camp de Buchenwald, Karl Otto Koch, ainsi que son épouse, Ilse, ont été mis en cause dans cette affaire.
2. Référence aux atrocités de la guerre civile d'Espagne menée par le général Franco, de 1936 à 1939.

En face de la constante préférence accordée aux chères illusions contre les mystères objectifs.

115 Où est le secret de cette efficacité de malheur imposée à l'homme et par l'homme seul, sinon dans notre acharnement à défendre la civilisation qui préside aux destinées des nations dominantes.

Les États-Unis, la Russie, l'Angleterre, la France, l'Allemagne, l'Italie et l'Espagne : héritières à la dent pointue d'un seul décalogue [1],
120 d'un même évangile.

La religion du Christ a dominé l'univers. Vous voyez ce qu'on en a fait : des fois sœurs sont passées à des exploitations sœurettes.

Supprimez les forces précises de la concurrence des matières premières, du prestige, de l'autorité et elles seront parfaitement d'accord.
125 Donnez la suprématie à qui il vous plaira, et vous aurez les mêmes résultats fonciers, sinon avec les mêmes arrangements des détails.

Toutes sont au terme de la civilisation chrétienne.

La prochaine guerre mondiale en verra l'effondrement dans la suppression des possibilités de concurrence internationale.
130 Son état cadavérique frappera les yeux encore fermés.

La décomposition commencée au XIVᵉ siècle donnera la nausée aux moins sensibles.

Son exécrable exploitation, maintenue tant de siècles dans l'efficacité au prix des qualités les plus précieuses de la vie, se révélera enfin à la
135 multitude de ses victimes : dociles esclaves d'autant plus acharnés à la défendre qu'ils étaient plus misérables.

L'écartèlement aura une fin.

* * *

[...]

La société née dans la foi périra par l'arme de la raison : l'INTEN-
140 TION.

La régression fatale de la puissance morale collective en puissance strictement individuelle et sentimentale a tissé la doublure de l'écran

---

1. Décalogue : les dix commandements gravés sur des tables que Dieu confia à Moïse sur le mont Sinaï.

déjà prestigieux du savoir abstrait sous laquelle la société se dissimule pour dévorer à l'aise les fruits de ses forfaits.

145 Les deux dernières guerres furent nécessaires à la réalisation de cet état absurde. L'épouvante de la troisième sera décisive. L'heure H du sacrifice total nous frôle.

Déjà les rats européens tentent un pont de fuite éperdue sur l'Atlantique. Les événements déferleront sur les voraces, les repus, les
150 luxueux, les calmes, les aveugles, les sourds.

Ils seront culbutés sans merci.

Un nouvel espoir collectif naîtra.

Déjà il exige l'ardeur des lucidités exceptionnelles, l'union anonyme dans la foi retrouvée en l'avenir, en la collectivité future.

155 Le magique butin magiquement conquis à l'inconnu attend à pied d'œuvre. Il fut rassemblé par tous les vrais poètes. Son pouvoir transformant se mesure à la violence exercée contre lui, à sa résistance ensuite aux tentatives d'utilisation (après plus de deux siècles, Sade[1] reste introuvable en librairie ; Isidore Ducasse[2], depuis plus d'un
160 siècle qu'il est mort, de révolutions, de carnages, malgré l'habitude du cloaque actuel reste trop viril pour les molles consciences contemporaines).

Tous les objets du trésor se révèlent inviolables par notre société. Ils demeurent l'incorruptible réserve sensible de demain. Ils furent
165 ordonnés spontanément hors et contre la civilisation. Ils attendent pour devenir actifs (sur le plan social) le dégagement des nécessités actuelles.

D'ici là notre devoir est simple.

Rompre définitivement avec toutes les habitudes de la société, se
170 désolidariser de son esprit utilitaire. Refus d'être sciemment audessous de nos possibilités psychiques et physiques. Refus de fermer

---

1. Donatien Alphonse François, comte de Sade (1740-1814), dit le marquis de Sade : écrivain français célèbre pour ses écrits porno-philosophiques. De son nom est tiré le terme sadisme, perversion sexuelle selon laquelle le plaisir s'atteint par la souffrance d'autrui.
2. Isidore Lucien Ducasse (1846-1870) : il écrit sous le pseudonyme du comte de Lautréamont. Il est l'auteur des *Chants de Maldoror* (1868), et a été reconnu par Alfred Jarry, André Breton et les surréalistes comme l'un de leurs plus éminents précurseurs.

les yeux sur les vices, les duperies perpétrées sous le couvert du savoir, du service rendu, de la reconnaissance due. Refus d'un cantonnement dans la seule bourgade plastique, place fortifiée mais trop facile d'évi-
175 tement. Refus de se taire — faites de nous ce qu'il vous plaira mais vous devez nous entendre — refus de la gloire, des honneurs (le premier consenti) : stigmates de la nuisance, de l'inconscience, de la servilité. Refus de servir, d'être utilisables pour de telles fins. Refus de toute INTENTION, arme néfaste de la RAISON. À bas toutes deux, au
180 second rang !

PLACE À LA MAGIE ! PLACE AUX MYSTÈRES OBJECTIFS[1] !
PLACE À L'AMOUR !
PLACE AUX NÉCESSITÉS !

Au refus global nous opposons la responsabilité entière.
185 L'action intéressée reste attachée à son auteur, elle est mort-née.

Les actes passionnels nous fuient en raison de leur propre dynamisme.

Nous prenons allègrement l'entière responsabilité de demain. L'effort rationnel, une fois retourné en arrière, il lui revient de dégager
190 le présent des limbes du passé.

Nos passions façonnent spontanément, imprévisiblement, nécessairement le futur.

Le passé dut être accepté avec la naissance, il ne saurait être sacré. Nous sommes toujours quittes envers lui.
195 Il est naïf et malsain de considérer les hommes et les choses de l'histoire dans l'angle amplificateur de la renommée qui leur prête des qualités inaccessibles à l'homme présent. Certes, ces qualités sont hors d'atteinte aux habiles singeries académiques, mais elles le sont automatiquement chaque fois qu'un homme obéit aux nécessités pro-
200 fondes de son être ; chaque fois qu'un homme consent à être un homme neuf dans un temps nouveau. Définition de tout homme, de tout temps.

---

1. Mystères objectifs : oxymore reprenant la formule consacrée d'André Breton (1896-1966), théoricien du surréalisme. Pour lui, les « hasards objectifs » symbolisent les forces mystérieuses qui unissent les êtres humains.

Fini l'assassinat massif du présent et du futur à coups redoublés du passé.

205 Il suffit de dégager d'hier les nécessités d'aujourd'hui. Au meilleur demain ne sera que la conséquence imprévisible du présent.

Nous n'avons pas à nous en soucier avant qu'il ne soit.

RÈGLEMENT FINAL DES COMPTES

Les forces organisées de la société nous reprochent notre ardeur à
210 l'ouvrage, le débordement de nos inquiétudes, nos excès comme une insulte à leur mollesse, à leur quiétude, à leur bon goût pour ce qui est de la vie (généreuse, pleine d'espoir et d'amour par habitude perdue).

Les amis du régime nous soupçonnent de favoriser la « Révolution », les amis de la « Révolution », de n'être que des révoltés :
215 « ... nous protestons contre ce qui est, mais dans l'unique désir de le transformer, non de le changer. »

[…]

* * *

Des gens aimables sourient au peu de succès monétaire de nos expositions collectives, ils ont ainsi la charmante impression d'être les
220 premiers à découvrir leur petite valeur marchande.

Si nous tenons exposition sur exposition, ce n'est pas dans l'espoir naïf de faire fortune. Nous savons ceux qui possèdent aux antipodes d'où nous sommes. Ils ne sauraient impunément risquer ces contacts incendiaires.

225 Dans le passé, des malentendus involontaires ont permis seuls de telles ventes.

Nous croyons ce texte de nature à dissiper tous ceux de l'avenir.

Si nos activités se font pressantes, c'est que nous ressentons violemment l'urgent besoin de l'union.

230 Là, le succès éclate !

Hier, nous étions seuls et indécis.

Aujourd'hui un groupe existe aux ramifications profondes et courageuses ; déjà elles débordent les frontières.

Un magnifique devoir nous incombe aussi : conserver le précieux
235 trésor qui nous échoit. Lui aussi est dans la lignée de l'histoire.

Objets tangibles, ils requièrent une relation constamment renou-
velée, confrontée, remise en question. Relation impalpable, exigeante
qui demande les forces vives de l'action.

Ce trésor est la réserve poétique, le renouvellement émotif où pui-
240 seront les siècles à venir. Il ne peut être transmis que TRANSFORMÉ,
sans quoi c'est le gauchissement.

Que ceux tentés par l'aventure se joignent à nous.

Au terme imaginable, nous entrevoyons l'homme libéré de ses
chaînes inutiles, réalisé dans l'ordre imprévu, nécessaire de la sponta-
245 néité, dans l'anarchie resplendissante, la plénitude de ses dons indivi-
duels.

D'ici là, sans repos ni halte, en communauté de sentiment avec les
assoiffés d'un mieux-être, sans crainte des longues échéances, dans
l'encouragement ou la persécution, nous poursuivrons dans la joie
250 notre sauvage besoin de libération.

Paul-Émile BORDUAS

Magdeleine ARBOUR, Marcel BARBEAU, Bruno CORMIER, Claude
GAUVREAU, Pierre GAUVREAU, Muriel GUILBAULT, Marcelle
FERRON-HAMELIN, Fernand LEDUC, Thérèse LEDUC, Jean-Paul
MOUSSEAU, Maurice PERRON, Louis RENAUD, Françoise
RIOPELLE, Jean-Paul RIOPELLE, Françoise SULLIVAN.

André *LAURENDEAU*

(1912-1968)

LANGUE

LA LANGUE QUE NOUS PARLONS

Le Devoir
21 octobre 1959

1   Je viens d'apprendre par la télévision (*Tribune libre*) que notre langue parlée s'améliore tous les jours, que les instituteurs y travaillent de leur mieux ; que divers concours stimulent le zèle universel ; que les commissions scolaires inscrivent la question à l'ordre du jour ; que les
5 enfants y mettent de la bonne volonté ; que les familles elles-mêmes…
    Ç'a été dit tout d'une traite.
    Ça m'a bien étonné.

* * *

    J'ai quatre enfants aux écoles, des neveux et nièces, leurs amis ; à eux tous ils fréquentent bien une vingtaine d'écoles.
10   Autant d'exceptions, j'imagine. Car entre nous, à peu près tous ils parlent joual.
    Faut-il expliquer ce que c'est que parler joual ? Les parents me comprennent. Ne scandalisons pas les autres.
    Ça les prend dès qu'ils entrent à l'école. Ou bien ça les pénètre peu
15 à peu, par osmose, quand les aînés rapportent gaillardement la bonne nouvelle à la maison. Les garçons vont plus loin ; linguistiquement, ils arborent leur veste de cuir. Tout y passe : les syllabes mangées, le vocabulaire tronqué ou élargi toujours dans le même sens, les phrases qui boitent, la vulgarité virile, la voix qui fait de son mieux pour être
20 canaille… Mais les filles emboîtent le pas et se hâtent. Une conversation de jeunes adolescents ressemble à des jappements gutturaux. De

près cela s'harmonise mais s'empâte : leur langue est sans consonnes, sauf les privilégiées qu'ils font claquer.

Et parfois à la fin de l'année ils vous rapportent un prix de bon lan-
25 gage. Ça vous fait froid dans le dos.

* * *

Les pères et mères que je connais se plaignent tous. Ça doit, eux aussi, être des parents de malheureuses exceptions.

J'en connais même qui envoient leur progéniture à l'école anglaise. Et savez-vous pourquoi ? Pour que les jeunes n'attrapent pas « cet
30 affreux accent ». C'est très intelligent et très respectueux. Car on est sûr de ne pas écorcher le français quand on apprend seulement l'anglais. Ainsi la langue mourra, mais elle sera morte vierge et martyre.

* * *

… Je trouve que cela fait trop d'exceptions. Qu'on nous mette donc en présence de ces enfants admirables qui perfectionnent, à une école
35 admirable, une admirable langue. Qu'on nous les produise. Je vou-drais rencontrer le résultat des concours de bon langage.

D'ici là, on nous permettra de nous effrayer de l'effondrement que subit la langue parlée au Canada français. Certains individus progressent, mais la moyenne ne cesse de baisser. La plupart des enfants récupèrent,
40 à un certain âge, à peu près la langue qu'on leur parle en famille : souvent cela ne fait pas grand-chose à récupérer. On en arrive à un idiome auprès duquel celui des cinéfeuilletons a des grâces.

Est-ce une illusion ? Il nous semble que nous parlions moins mal. Moins mou. Moins gros. Moins glapissant. Moins joual.

45 Mais, qui nous départagera ? Quand les universités recevront leurs millions, ne pourraient-elles charger des linguistes de mener une enquête systématique sur l'état de la langue ? Ils nous renseigneront ensuite. Nous apprendrons peut-être comment « tant de bonne volonté » peut donner d'aussi piteux résultats.

Candide

Jean-Paul *DESBIENS*

(1927-2006)

L**A LANGUE JOUALE**

Les insolences du Frère Untel
1960

1   « *Nous sommes fièrement vaincus, archivaincus*
              de cœur et d'esprit ! Nous jouissons comme
           des vaincus et nous travaillons comme des vaincus.
         Nous rions, nous pleurons, nous aimons, nous spéculons,
5   *nous écrivons et nous chantons comme des vaincus.*
            Toute notre vie intellectuelle et morale s'explique
    par ce seul fait que nous sommes de lâches et déshonorés vaincus. »
                                                    Léon Bloy[1]

        Le 21 octobre 1959 André Laurendeau publiait une *Actualité* dans
10 *Le Devoir*, où il qualifiait le parler des écoliers canadiens-français de
    « parler joual ». C'est donc lui, et non pas moi, qui a inventé ce nom.
    Le nom est d'ailleurs fort bien choisi. Il y a proportion entre la chose
    et le nom qui la désigne. Le mot est odieux et la chose est odieuse. Le
    mot joual est une espèce de description ramassée de ce que c'est que le
15 parler joual : parler joual, c'est précisément dire joual au lieu de
    cheval. C'est parler comme on peut supposer que les chevaux parle-
    raient s'ils n'avaient pas déjà opté pour le silence et le sourire de
    Fernandel[2].

1. Citation tirée du roman *Le désespéré* (1886) de Léon Bloy (1846-1917), écrivain français.
2. Fernandel : pseudonyme de l'acteur français Fernand Contandin (1903-1971), particulièrement
   apprécié dans les comédies en raison de son jeu et de son large sourire tout en dents…

Nos élèves parlent joual, écrivent joual et ne veulent pas parler ni
20 écrire autrement. Le joual est leur langue. Les choses se sont détério-
rées à tel point qu'ils ne savent même plus déceler une faute qu'on leur
pointe du bout du crayon en circulant entre les bureaux. « L'homme
que je parle » — « nous allons se déshabiller » — etc. ne les hérisse pas.
Cela leur semble même élégant. Pour les fautes d'orthographe, c'est
25 un peu différent ; si on leur signale du bout du crayon une faute
d'accord ou l'omission d'un s, ils savent encore identifier la faute. Le
vice est donc profond : il est au niveau de la syntaxe. Il est aussi au
niveau de la prononciation : sur vingt élèves à qui vous demandez leur
nom, au début d'une classe, il ne s'en trouvera pas plus de deux ou
30 trois dont vous saisirez le nom du premier coup. Vous devrez faire
répéter les autres. Ils disent leur nom comme on avoue une impureté.

Le joual est une langue désossée : les consonnes sont toutes esca-
motées, un peu comme dans les langues que parlent (je suppose,
d'après certains disques) les danseuses des Îles-sous-le-Vent : oula-
35 oula-alao-alao. On dit : « chu pas apable », au lieu de : je ne suis pas
capable ; on dit : « l'coach m'enweille cri les mit du gôleur », au lieu de :
le moniteur m'envoie chercher les gants du gardien, etc. Remarquez
que je n'arrive pas à signifier phonétiquement le parler joual. Le joual
ne se prête pas à une fixation écrite. Le joual est une décomposition ;
40 on ne fixe pas une décomposition, à moins de s'appeler Edgar Poe.
Vous savez : le conte où il parle de l'hypnotiseur qui avait réussi à geler
la décomposition d'un cadavre [1]. C'est un bijou de conte, dans le
genre horrible.

Cette absence de langue qu'est le joual est un cas de notre inexis-
45 tence, à nous, les Canadiens français. On n'étudiera jamais assez le
langage. Le langage est le lieu de toutes les significations. Notre inaptitude à nous affirmer, notre refus de l'avenir, notre obsession du
passé, tout cela se reflète dans le joual, qui est vraiment notre langue.
Je signale en passant l'abondance, dans notre parler, des locutions
50 négatives. Au lieu de dire qu'une femme est belle, on dit qu'elle n'est

---

1. Référence à la nouvelle *La vérité sur le cas de M. Valdemar* (1845) d'Edgar Allan Poe (1809-
   1849), écrivain américain dont les œuvres ont été traduites en français par Baudelaire et
   Mallarmé.

pas laide ; au lieu de dire qu'un élève est intelligent, on dit qu'il n'est pas bête ; au lieu de dire qu'on se porte bien, on dit que ça va pas pire, etc.

55 J'ai lu dans ma classe, au moment où elle est parue, l'*Actualité* de Laurendeau. Les élèves ont reconnu qu'ils parlaient joual. L'un d'eux, presque fier, m'a même dit : « On est fondateur d'une nouvelle langue ! » Ils ne voient donc pas la nécessité d'en changer. « Tout le monde parle comme ça », me répondaient-ils. Ou encore : « On fait rire de nous autres si on parle autrement que les autres » ; ou encore,

60 et c'est diabolique comme objection : « Pourquoi se forcer pour parler autrement, on se comprend ». Il n'est pas si facile que ça, pour un professeur, sous le coup de l'improvisation, de répondre à cette dernière remarque, qui m'a véritablement été faite cette après-midi-là.

Bien sûr qu'entre jouaux, ils se comprennent. La question est de

65 savoir si on peut faire sa vie entre jouaux. Aussi longtemps qu'il ne s'agit que d'échanger des remarques sur la température ou le sport ; aussi longtemps qu'il ne s'agit de parler que du cul, le joual suffit amplement. Pour échanger entre primitifs, une langue de primitif suffit ; les animaux se contentent de quelques cris. Mais si l'on veut

70 accéder au dialogue humain, le joual ne suffit plus. Pour peinturer une grange, on peut se contenter, à la rigueur, d'un bout de planche trempé dans de la chaux ; mais, pour peindre la Joconde, il faut des instruments plus fins.

On est amené ainsi au cœur du problème, qui est un problème de

75 civilisation. Nos élèves parlent joual parce qu'ils pensent joual, et ils pensent joual parce qu'ils vivent joual, comme tout le monde par ici. Vivre joual, c'est *rock'n'roll* et *hot-dog*, *party* et balade en auto, etc. C'est toute notre civilisation qui est jouale. On ne réglera rien en agissant au niveau du langage lui-même (concours, campagnes de bon

80 parler français, congrès, etc.). C'est au niveau de la civilisation qu'il faut agir. Cela est vite dit, mais en fait, quand on réfléchit au problème, et qu'on en arrive à la question : quoi faire ? on est désespéré. Quoi faire ? Que peut un instituteur, du fond de son école, pour enrayer la déroute ? Tous ses efforts sont dérisoires. Tout ce qu'il gagne

85 est aussitôt perdu. Dès quatre heures de l'après-midi, il commence

d'avoir tort. C'est toute la civilisation qui le nie ; nie ce qu'il défend, piétine ou ridiculise ce qu'il prône. Je ne suis point vieux, point trop grincheux, j'aime l'enseignement, et pourtant, je trouve désespérant d'enseigner le français.

Jean-Paul Desbiens, *Les insolences du Frère Untel*,
Montréal, Les Éditions de l'Homme, 1988 (1960), page de couverture.

Pierre *VADEBONCOEUR*

RELIGION

Né en 1920

Réflexions sur la foi

La ligne du risque
1963

1

> « *Et ta valeur, de foi trempée,*
> *Protègera nos foyers et nos droits.* »
> **Hymne national du Canada**

L'appauvrissement d'une foi, dans la conscience d'un peuple, est
5 un malheur difficilement compensable. Mais il arrive aussi que la
conscience commune perde progressivement, avec la croyance et
l'espérance authentiques et totales, le sens même de la foi, dans la
mesure même où elle en garde officiellement le simulacre. Cette culture s'accommode alors d'états de conscience qui n'ont avec la foi
10 qu'une ressemblance formelle, et la foi elle-même, dont le Christ dit
qu'elle transporte les montagnes, devient une adhésion collective plus
ou moins conventionnelle. À presque tous les niveaux, il n'y a plus
véritablement croyance, mais adhésion ou assentiment, dont les
degrés dévalent jusqu'à la lâcheté, et au mensonge. Il n'y a plus certi-
15 tude, mais scepticisme pratique ; plus émotion et désir, mais volonté
plus ou moins contrainte ; plus engagement, mais individualisme et
intérêt ; plus grandeur, plus zèle, plus passion, plus enthousiasme au
service du but, mépris de soi, contemplation du principe, énergie irré-
pressible, ni joie dominante sur tous les états, mais autre chose, qui
20 gouverne désormais le domaine que la foi est pourtant appelée, par la
structure de l'âme humaine, à occuper en souveraine maîtresse. Dans

une culture, où tous sont encore consentants à observer les prescriptions formelles, on observe alors l'absence étonnante, l'absence transcendante de la foi. Dire que cette carence affecte la culture, c'est
25 presque une redondance. Il est instructif de rapprocher cette culture de certaines autres où une foi s'affirme avec vigueur, fût-ce la plus égarée comme celle du Troisième Reich[1] ou celle des énergiques yankees[2], et de la voir vivre sur l'équivoque, sur le quiproquo d'un mot dont elle aura manqué le sens.
30 On s'est représenté la foi comme une espèce d'obligation, analogue à celle de faire maigre ou d'assister à la messe, et l'on n'a pas vu que l'on faisait ainsi passer la foi du domaine de la croyance proprement dite au domaine de l'appartenance, du domaine de la vérité et de l'amour au domaine de la volonté et de l'intérêt. Ce passage de l'état
35 de croyance à l'état de consentement plus ou moins contraint soustrait en réalité l'âme et sa réalisation à leur principe suprême. En un mot, la foi n'est pas l'assentiment, la foi est la croyance. Et toute philosophie courante qui assigne à l'esprit quelque but d'adhésion plutôt que son but propre de certitude ou de conviction, entraîne ainsi une
40 mutilation extraordinaire de l'âme, et peut déterminer même, dans une culture, une baisse radicale de l'énergie spirituelle.
Il y a des chrétiens véritablement emportés par la croyance. Il y a aussi des cultures païennes modernes animées par leur foi propre. L'époque contemporaine confiait des mouvements déterminés par
45 l'action propre et évidente du phénomène psychologique de la foi : le communisme, par exemple. La science a un domaine de ce genre dans l'esprit de ses fidèles et d'ailleurs dans un peu toute la culture contemporaine. Partout où il y a ce plein, partout où c'est la croyance qui nous anime, l'on voit que — pour le bien ou pour le mal, du reste —
50 l'homme utilise cette faculté de croire et de là d'accomplir.
[…]

---

1. *Reich* : terme allemand qui signifie « empire ». Le Troisième Reich correspond à l'Allemagne nationale-socialiste de Hitler (1933-1945).
2. Yankees : pendant la guerre d'Indépendance américaine (1775-1782), habitants de la Nouvelle-Angleterre. Pendant la guerre de Sécession (1861-1865), cette appellation désignait les Nordistes.

C'est ainsi que l'idée commune de la foi a besoin d'être secouée. Il est de haute importance qu'on n'abandonne pas à une culture médiocre et à ceux qui la pensent le soin de consacrer à leur façon

55 l'image de cette réalité intérieure. Les représentations vivantes que l'on se fait de la foi, de l'intelligence ou de la volonté sont, plus que n'importe quelle expression académique, ce qui fait la culture, ce qui éduque l'homme. Comment écouter sans irritation le bredouillement quotidien de ceux qui, légion, parlent de foi sans avoir la qualité

60 propre à justifier leur emploi de ce terme ? Ils proposent parmi les hommes, en même temps qu'un mot creux, la norme inférieure d'une réalité que nul ne devrait au contraire jamais percevoir que dans son sens fort. Qui chercherait à se surpasser soi-même après un enseignement qui a livré la foi chrétienne au traitement informe d'un tel ver-

65 balisme, infiniment plus répandu qu'on ne le croit ?

Voilà la marque d'une culture qui se défait, que de ne même pas se signaler à elle-même la dégradation des formes les plus aiguës de la conscience. Dans une ambiance ainsi décadente, les hommes ont perdu la faculté de reconnaître et d'imposer l'exemple véritable des

70 valeurs qu'ils disent servir. On vit d'une approximation honteuse des réalités supérieures, et une élite satisfaite se signale par sa seule conformité bénévolente aux idéaux reçus, par une adhésion de principe et d'autant plus fidèle à tout ce qu'elle peut trouver de lettre que celle-ci est à peu près sa seule source possible de réflexion. La notion de foi a

75 décliné, dans cette culture pourtant fondée sur elle, au point d'en exclure, jusqu'à un certain point, l'idée de croyance dans son sens rigoureux. Ô homme qui croit vraiment ! tu juges, dans ta riante modernité l'homme hésitant et flasque qui ose se réclamer des dieux de lumière ! Ta croyance véritable et suivie d'actes entiers discrédite

80 la pose bien-pensante dont tant d'hommes encombrent l'esprit moderne.

Ce terme de foi, plus que tout autre, beaucoup plus que celui de vérité, par exemple, plus que celui d'amour, que celui de mal, et peut-être plus que celui de bien lui-même, a été corrompu. Et puis, le sens

85 du mot s'est ajusté au niveau et à la qualité de la croyance. De plus, il a désigné nommément l'objet de cette croyance, s'est confondu avec

lui ; on l'a coupé de sa signification autonome ; on lui a ravi son sens
commun. Voyez comme cette liaison de l'idée de foi avec son objet,
dans la conception populaire, a obscurci la signification essentielle du
90 terme. Une acceptation quelconque, pourvu que ce soit des propositions dogmatiques, est appelée communément la foi. Comme on a
identifié la foi à une sorte d'obligation morale, il suit que c'est cet
objet même (et non la nature véritable de l'acte intérieur) qui en définitive qualifie le geste d'adhésion et le rend digne d'arborer ce nom
95 suprême. C'est ainsi que des masses d'hommes ont, avec les meilleures
intentions, galvaudé parmi les plus nobles choses, la conception commune d'une disposition d'âme qui est la réalité motrice de tous les
saluts.

La foi est un mot déchirant ; la croyance est un état dramatique. La
100 foi ne peut être fausse, ou bien tout simplement elle n'est pas. Comme
l'amour, et avec la même vérité intérieure, avec la même réalité, elle
existe ou n'existe pas. Cherchez ailleurs qu'en votre cœur, si vous êtes
privé d'elle, l'exemple de ce qu'elle est, et ne contribuez pas, par la
complaisance ridicule qui consiste à s'attribuer arbitrairement des
105 états d'âme, à cette circulation de monnaie contrefaite dont on ne
cessera jamais de dégager les valeurs.

Gérald GODIN

(1938-1994)

LE JOUAL ET NOUS

Parti pris
Janvier 1965

LANGUE

1   Dans la nouvelle littérature québécoise, on parle beaucoup « par bougre et foutre », comme disent les Français, ou plutôt « par B et F », car ils sont discrets. En un mot, on y parle gras. Les djôs, les chnolles, les baisés et les gosses [1] sont partout : il pleut du cul.

5   Ce phénomène est explicable : il est partie à un processus de rédemption dont le principal événement est que tout à coup, le joual ait accédé à sa véritable dimension : celle d'un décalque parfait de la décadence de notre culture nationale.

    La plus récente tranche du rapport Parent [2] est d'ailleurs formelle
10 là-dessus : la province de Québec est probablement le seul pays au monde où il soit nécessaire d'enseigner la phonétique de la langue maternelle (page 40).

    Le joual faisait, il n'y a pas goût de tinette, le désespoir de nos beaux esprits. Il fallait parler mieux ! On en fit des slogans. On publia des
15 « Ce qu'il ne faut pas dire », des « Ne dites pas... mais dites ». On fonda des Offices de la langue française. On en faisait des congrès, des campagnes : la campagne contre le joual : beau paradoxe ! Entendait-on « bréquer », on se gaussait en disant : « freiner ». On en faisait sur-tout des insultes au peuple et des occasions de le mépriser. C'est ainsi,

---

1. Gosses : testicules (québécisme).
2. Rapport Parent : rapport publié en 1963-1964 par une commission d'enquête, présidée par Alphonse-Marie Parent, portant sur la situation de l'éducation au Québec. Il propose notam-ment la création des cégeps et d'un ministère de l'Éducation.

20 quand on a la vue courte : les canoques [1] sont plus caves que les autres,
ou encore : s'ils sont pauvres, c'est de leur faute et s'ils parlent mal,
c'est de leur faute.

Le peuple, pour se venger d'être méprisé, traitait de tapettes et de
fifis les seuls parlant bon français dans leur voisinage : les annonceurs
25 de radio. La force d'envoûtement du mot est grande : un grand
nombre de ceux-ci le devenaient.

Nos élites, qui ont la vue courte, agissaient en somme comme si
c'était la langue qui était malade, alors que c'est la nation qui est mal
en point, la culture nationale qui est pourrie, l'État québécois qui est
30 infirme et l'âme québécoise qui est blessée jusques au plus profond
d'elle-même.

Le joual en somme accentuait le fossé qui sépare ici les classes
sociales. Comme seuls à s'exprimer sont ceux qui ne parlent pas joual,
le mythe prospérait : les canoques sont des baragouineurs de qualité
35 intellectuelle inférieure, il n'appartient qu'à eux de bien parler, ce sont
des frogues [2]. Le Frère Untel, avec toute sa bonne volonté, ne put proposer comme remède que du réformisme : du vent !

L'autre événement pour la littérature, cette fois-ci, ce fut que quelques
bourgeois comme nous répudiions nos origines, notre cours classique,
40 nos soirées passées à gratter les classiques et surtout notre langue française pour choisir délibérément d'écrire mal, non pas mal, mais vrai !

Moi aussi, quand je me serre les fesses, je peux parler comme un
prince. On appelle ça vesser. Je me souviens de 1961, au mois de juin,
j'étais à « La Closerie des Lilas [3] », dans Montparnasse. J'avais une
45 demi-heure à tuer avant un rendez-vous aux Éditions Albin Michel, à
deux pas de là, au 22 de la rue Huyghens. Je prenais un pot. À deux pas
de moi qui prenait un pot comme vous et moi : un grand dégingandé

---

1. Canoques : terme américain désignant les Canadiens français. De l'anglais *Canuck*.
2. Frogues : grenouilles, de l'anglais *frog*. Les anglophones désignent parfois ainsi les francophones.
3. La Closerie des Lilas : restaurant-bar parisien, lieu mythique des artistes de renom. Baudelaire,
Verlaine, Cézanne, Zola, Gide, Breton, Jarry, Apollinaire, Picasso, Sartre et Miller s'y donnaient
rendez-vous, chacun à leur époque.

à tête grise et nez indien : Samuel Beckett [1]. Je sens quelque chose sous
mon coude, je lève le bras, je regarde, c'est une plaque de cuivre fixée
50   au bar. Elle porte une inscription : Ernest Hemingway [2]. Il faut peu de
chose à un jeune homme pour se sentir écrivain, ce fut chose faite.

Mais je me trompais, je faisais un fou de moi, comme disent les
Anglais. Au cours d'une série d'événements qui ne vous intéresse-
raient pas, mais où des gens comme Ti-Zoune Guimond [3] et Jacques
55   Ferron [4], des lieux comme l'Auberge du Coin et le Club touristique à
Trois-Rivières occupent une grande place, je découvris la beauté de
rues compatriotes et leur profonde santé. « La Closerie des Lilas », où
Théophile Gautier [5] a également sa plaque de cuivre sur un coin de
table : adieu ; Ernest Hemingway qui mourut en tétant une .303 [6] :
60   adieu ; Samuel Beckett qui fut le secrétaire de James Joyce [7] : adieu ;
Albin Michel : adieu. Je serai d'ici ou je ne serai pas. J'écrirai joual ou
je n'écrirai pas et comme à joual donné on ne regarde pas la bride…

Le bon français c'est l'avenir souhaité du Québec, mais le joual c'est
son présent. J'aime mieux, pour moi, qu'on soit fier d'une erreur
65   qu'humilié d'une vérité. La rédemption du joual et de ceux qui le parlent
est en cours. Dans cette rédemption, on parle beaucoup de « B et F »
parce que le cul occupe une grande place dans toute langue populaire.

Quant à ceux qui sont contre, au nom de quelque principe
esthétique, on s'en crisse : ils ne font que montrer leur ignorance de la
70   véritable nature de tout langage en premier lieu, et de la véritable

---

1. Samuel Beckett (1906-1989) : poète et dramaturge irlandais, connu notamment pour sa pièce
   En attendant Godot (1952).
2. Ernest Miller Hemingway (1899-1961) : écrivain américain, auteur de l'œuvre célèbre *Le vieil
   homme et la mer* (1952). En 1926 paraît *Le soleil se lève aussi*, roman qu'il a écrit en partie à La
   Closerie des Lilas.
3. Olivier Guimond (1893-1954), surnommé Ti-Zoune : artiste de vaudeville montréalais, père
   d'Olivier Guimond (1914-1971), vedette de cabaret et de la télévision québécoise.
4. Jacques Ferron (1921-1985) : médecin, écrivain et politicien québécois. Il est « entre autres » le
   fondateur du parti Rhinocéros, librement inspiré de la pièce de Ionesco (1963), l'auteur du *Ciel
   de Québec* (1969) et le négociateur désigné lors de la crise d'Octobre (1970).
5. Théophile Gautier (1811-1872) : écrivain français qui côtoya les auteurs réalistes et romantiques
   de son temps. Son recueil de poésie, *Émaux et Camées*, lui vaut tous les honneurs en 1852.
6. 303 : calibre d'une arme à feu.
7. James Joyce (1882-1941) : romancier et poète irlandais dont l'œuvre majeure, *Ulysse*, est publiée
   en 1922.

situation coloniale des Québécois en second lieu. Mais je ne serais pas surpris outre mesure qu'ils trouvent un auditoire car c'est un autre vice de notre société que ce sont surtout les imbéciles qui y sont écoutés.

parti pris

sommaire

numéro 1   octobre 1963

revue politique et littéraire
paraît chaque mois
sur 64 pages

●

comité de rédaction: André Brochu, Paul Chamberland, Pierre Maheu, André Major, Jean-Marc Piotte.

●

comité d'administration: Yvon Dionne, Laurent Girouard, Pierre Maheu, Robert Maheu, Gérald McKenzie, Lise Théberge.

●

éditeur:
La Revue PARTI PPIS, inc. 790-B rue Champagneur, Montréal (8) Québec.

●

distributeur: Agence de Distribution Populaire, 1130 est rue Lagauchetière Montréal. Tél. LA 3-1182

●

Les manuscrits non retenus sont rendus à leurs auteurs dans un délai d'un mois, s'ils sont accompagnés d'une enveloppe de retour affranchie.

●

Le ministère des Postes, à Ottawa, a autorisé l'affranchissement en numéraire et l'envoi comme objet de deuxième classe de la présente publication.

Reproduction interdite.

●

Prix 50 cents
12 numéros: $5.00

Premier numéro de la revue
Parti pris, octobre 1963.

Pierre VALLIÈRES
(1938-1998)

Nègres blancs d'Amérique
1968

SOCIÉTÉ

1   **En guise de présentation**
Je n'ai d'autre prétention, en écrivant ce livre, que de témoigner de
la détermination des travailleurs du Québec à mettre un terme à trois
siècles d'exploitation, d'injustices silencieusement subies, de sacrifices
5   inutilement consentis, d'insécurité résignée ; de témoigner de leur
détermination nouvelle, et de plus en plus énergique, à prendre le
contrôle de leurs affaires économiques, politiques et sociales, et à
transformer en une société plus juste et plus fraternelle ce pays, le
Québec, qui est le leur, dont ils ont toujours formé l'immense majorité
10   des citoyens et des producteurs de la richesse « nationale » sans jamais,
pourtant, bénéficier du pouvoir économique et de la liberté politique
et sociale auxquels leur nombre et leur travail leur donnent droit.
Ce livre est le produit à la fois d'expériences vécues au jour le jour,
dans un milieu social donné, à une époque donnée, et d'un engage-
15·   ment politique conscient qui me semble, aujourd'hui, irrévocable. Ce
que j'ai vécu a toujours été partie intégrante d'une expérience collective. Forcément. Et mon engagement politique est, lui aussi, partie
intégrante du réveil de la collectivité québécoise, plus particulièrement de la classe ouvrière. C'est pourquoi ce récit autobiographique
20   est aussi le récit de l'évolution de tout un milieu social. Et c'est pourquoi également les idées développées dans ce livre reflètent l'évolution
des idées de plusieurs personnes et de plusieurs groupes, évolution
elle-même provoquée par les transformations sociales que le Québec

a connues ces dernières années et qui ont été résumées dans l'expres-
25 sion : la « révolution tranquille ».

Ce livre n'est donc pas, à vrai dire, le produit d'un individu, mais
d'un milieu. Le milieu, c'est le Québec contemporain, mais vécu à
Montréal et dans la région métropolitaine. Un Gaspésien aurait probablement écrit un livre tout différent.

30 Ce livre n'est pas parfait et ne prétend pas l'être. Les observations
qu'il contient sont forcément limitées, incomplètes. Les idées qui y
sont exprimées ne prétendent pas à l'objectivité des neutres : elles sont
partiales et politiques. (On oublie souvent que l'objectivité est elle
aussi, en certaines matières, comme la politique, une idéologie :
35 l'idéologie du *statu quo*.)

Je mentionne des noms et je prends parti à leur sujet. Je dénonce
certaines institutions très vénérées au Québec et je n'ai aucune pitié ni
aucune compréhension pour l'Église et pour les classes dirigeantes.
Mais je ne recherche pas la controverse et je n'ai pas du tout le goût de
40 jouer aux insolences, comme fit jadis le fonctionnaire Desbiens[1]. Je
décris les choses que je vois, je constate des faits et j'en tire des conclusions simples, des conclusions pour ainsi dire naturelles que n'importe
quelle personne sans préjugés et non compromise dans le système
d'exploitation actuel peut comprendre et retenir facilement en obser-
45 vant le monde qui l'entoure, dans lequel elle évolue et dans lequel, un
jour ou l'autre, elle doit se situer lucidement, prendre parti, engager sa
responsabilité.

La responsabilité sociale de l'être humain n'est pas une vertu très
pratiquée au Québec, même aujourd'hui. On n'en entend pas beau-
50 coup parler dans les sermons, les conférences et les éditoriaux. On
entend parler uniquement d'ordre, de paix sociale, de respect des lois.
La responsabilité sociale de la classe actuellement dirigeante est si
absente de son ordre, de sa paix et de ses lois que les travailleurs qui
réclament la plus élémentaire justice sont contraints de recourir à la
55 violence physique pour se faire entendre, uniquement entendre (parce
qu'ils font du bruit) et non pas respecter.

---

1. Référence à Jean-Paul Desbiens, auteur des *Insolences du Frère Untel* qui parut en 1960 (voir p. 103).

La classe dirigeante n'a que la responsabilité sociale de ses intérêts propres. Elle se fout éperdument des quatre-vingt-dix pour cent de la population qui n'ont rien à dire ni aucune décision à prendre dans sa démocratie. Les travailleurs ont déjà perdu trop de temps à attendre la conversion de ceux qui les ont toujours volés et bafoués. Les travailleurs ont déjà été trop de fois abusés par tous les purs de la politique traditionnelle, par tous ces rédempteurs des vieux partis, les René Lévesque [1], les Marcel Masse [2] et leurs semblables. Les travailleurs et tous les Québécois lucides doivent prendre leurs responsabilités en main et cesser de compter avec les messies qu'engendre périodiquement le système pour mystifier les non-instruits.

Évidemment, ce n'est pas facile. Il y a une route longue et pénible à parcourir. Ce livre témoigne justement des efforts, des essais et des erreurs auxquels il faut consentir pour se libérer des nombreux boulets que la société capitaliste a fixés à nos pieds dès notre naissance et dont les chaînes sont parfois si profondément enfoncées dans notre chair qu'il est impossible de s'en débarrasser complètement.

Mais la détermination peut venir à bout de tout, même de la dictature du capitalisme sur les corps et les esprits de la majorité des Québécois. C'est la responsabilité des travailleurs du Québec d'apprendre à se tenir debout, d'exiger, de prendre ce qui leur appartient de droit. Car il est anormal, injuste et inhumain que le pouvoir économique et politique qui gère la vie entière des travailleurs n'appartienne pas aux travailleurs eux-mêmes, mais à d'autres, à des parasites dont la seule fonction, la seule ambition et le seul intérêt sont d'accumuler des profits sans limites, à même le travail, l'énergie, la sueur, la vie de la majorité des citoyens.

La vraie raison de l'insécurité ouvrière, ce n'est pas l'insuffisance des salaires, la rareté des emplois ou l'ignorance, c'est essentiellement l'absence de contrôle sur la politique économique et sociale. C'est ce

---

1. René Lévesque (1922-1987) : ministre libéral dans le gouvernement Lesage, puis chef du Parti québécois qu'il fonde en 1968 et premier ministre du Québec de 1976 à 1985.
2. Marcel Masse (né en 1936) : député de l'Union nationale dans Montcalm en 1966. Il occupe ensuite des fonctions importantes au sein du gouvernement : ministre d'État à l'Éducation (1966-1967) et ministre d'État à la Fonction publique (1967).

que les travailleurs du Québec doivent bien se mettre dans la tête, comme on dit familièrement. Car autrement ils demeureront encore, pendant des générations, les nègres blancs d'Amérique, la main-
90 d'œuvre à bon marché qu'affectionnent les rapaces de l'industrie, du commerce et de la haute finance, comme des loups affectionnent les moutons.

Tuons saint Jean-Baptiste [1]! Brûlons le carton-pâte des traditions avec lequel on a voulu mythifier notre esclavage. Apprenons l'orgueil
95 d'être libres. Affirmons fortement notre indépendance. Et écrasons de notre liberté robuste le paternalisme compatissant ou méprisant des politiciens, des papas-patrons et des prédicateurs de défaites et de soumissions…

Le temps n'est plus aux récriminations stériles, mais à l'action. Il
100 n'y aura pas de miracles, mais il y aura la guerre.

Les nègres blancs d'Amérique

Être un nègre, ce n'est pas être un homme en Amérique, mais être l'esclave de quelqu'un. Pour le riche Blanc de l'Amérique yankee, le nègre est un sous-homme. Même les pauvres Blancs considèrent le
105 nègre comme inférieur à eux. Ils disent : « travailler dur comme un nègre », « sentir mauvais comme un nègre », « être dangereux comme un nègre », « être ignorant comme un nègre »…

Très souvent, ils ne se doutent même pas qu'ils sont, eux aussi, des nègres, des esclaves, des nègres blancs. Le racisme blanc leur cache la
110 réalité, en leur donnant l'occasion de mépriser un inférieur, de l'écraser mentalement, ou de le prendre en pitié. Mais les pauvres Blancs qui méprisent ainsi le Noir sont doublement nègres, car ils sont victimes d'une aliénation de plus, le racisme, qui, loin de les libérer, les emprisonne dans un filet de haines ou les paralyse dans la peur d'avoir
115 un jour à affronter le Noir dans une guerre civile.

Au Québec, les Canadiens français ne connaissent pas ce racisme irrationnel qui a causé tant de tort aux travailleurs blancs et aux

---

1. Saint Jean-Baptiste : patron des Canadiens français. C'est le 24 juin 1834, à l'initiative de Ludger Duvernay, qu'a lieu un grand banquet nationaliste en l'honneur de l'anniversaire de la Saint-Jean. À partir de 1842, ce rassemblement devient une fête religieuse.

travailleurs noirs des États-Unis. Ils n'ont aucun mérite à cela, puisqu'il n'y a pas, au Québec, de problème noir. La lutte de libération
120 entreprise par les Noirs américains n'en suscite pas moins un intérêt croissant parmi la population canadienne-française, car les travailleurs du Québec ont conscience de leur condition de nègres, d'exploités, de citoyens de seconde classe. Ne sont-ils pas, depuis l'établissement de la Nouvelle-France, au XVIe siècle, les valets des impé-
125 rialistes, « les nègres blancs d'Amérique » ? N'ont-ils pas, tout comme les Noirs américains, été importés pour servir de main-d'œuvre à bon marché dans le Nouveau Monde ? Ce qui les différencie : uniquement la couleur de la peau et le continent d'origine. Après trois siècles, leur condition est demeurée la même. Ils constituent toujours un réservoir
130 de main-d'œuvre à bon marché que les détenteurs de capitaux ont toute liberté de faire travailler ou de réduire au chômage, au gré de leurs intérêts financiers, qu'ils ont toute liberté de mal payer, de maltraiter et de fouler aux pieds, qu'ils ont toute liberté, selon la loi, de faire matraquer par la police et emprisonner par les juges « dans
135 l'intérêt public », quand leurs profits semblent en danger.

[Annotations manuscrites :]

CONTRA

Condition Politique ⟹ sans pouvoir et liberté
                          exploitation, abus, injustices

Condition économique ⟹ exploitation des travailleurs
                          du peuple, capitaliste
                          corruption

Condition sociale ⟹ Racisme.

Révolte ⟹ Action, Solution
Vision négative du Québec, mais optimiste

Jean MARCEL
Né en 1941

Ulysse linguiste et
Ulysse soldat

Le joual de Troie
1973

LANGUE

1

« *La langue n'est qu'un prétexte ; le véritable*
enjeu de la lutte est l'honneur de l'homme,
qui ne peut se concevoir dans l'abaissement
d'un peuple au profit d'un autre. »

5   Jacques Ferron, *La tête du roi*, p. 84

Ulysse linguiste

Ulysse n'était pas linguiste ; il n'en avait pas moins beaucoup
d'esprit, c'était un homme de guerre. La ruse était son métier et il le
faisait bien. On connaît la légende, je la rappelle quand même briève-
10   ment. Pendant le siège de Troie, jugeant qu'il avait assez duré, le bon
Ulysse décida d'introduire chez l'ennemi un immense cheval de bois.
Les Grecs firent mine d'abandonner le siège de la ville, et à la faveur de
la nuit les Troyens attirèrent dans leurs murs la grosse bête amusante.
Et ils s'amusèrent, en effet, à danser et à boire toute la nuit, contents
15   de voir partir les Grecs et surtout d'avoir reçu d'eux en cadeau le gros
cheval de bois. On appellera ça plus tard *faire un cadeau grec*. Car une
fois dans la ville, la fête terminée, le ventre du cheval s'ouvrit, et que
vit-on paraître ? Ulysse et ses soldats qui purent ainsi mettre fin à la
guerre en mettant à sac la ville de Troie. Les Troyens n'eurent jamais
20   plus l'occasion de se méfier des cadeaux grecs, car de Troyens il n'en
resta plus un seul dans Troie. Ulysse, qui n'était pas linguiste, les avait
quand même tous anéantis.

Version moderne du cheval de Troie : on rapporte qu'au Cambodge, il n'y a pas des millénaires mais cette année même, la *CIA* des *USA* diffuse tous les jours à la radio des messages inquiétants à l'aide de machines électroniques reconstituant à la perfection la voix de prince Sihanouk en exil à Pékin. Ces messages se contredisent les uns les autres, et la population khmère est dans la plus totale confusion au sujet des intentions révolutionnaires du prince. Si bien qu'on a réussi depuis deux ans à faire ainsi tenir tranquille une population qui n'attendait qu'un signal clair pour se soulever contre le régime de Lon Nol [1] et la présence américaine.

Il y a des voix dans ce pays du Québec qui imitent assez bien la liberté. Il ne tient qu'à nous d'être plus rusés que les Troyens et de savoir lire en clair, si nous ne voulons pas que ces voix se changent un jour ou l'autre en râles de notre esclavage. Il est devenu d'une facilité désarmante pour l'ordre établi de récupérer à son compte le mot de liberté. Il suffit que le mot soit prononcé pour que nous ayons les yeux fixés sur lui. Et pendant que nous sommes occupés à la contemplation du mot magique dans les fonds obscurs de nous-mêmes, quelqu'un nous passe les menottes, et c'en est fait de la liberté réelle. C'est là l'un des effets du discours idéologique. Pour l'instant, ce discours joue une pièce importante du jeu : la question linguistique. Pendant qu'on nous flatte un peu trop de tous côtés, d'Ottawa comme de Québec [2], sur notre spécificité culturelle, sur notre « belle petite langue adaptée à notre réalité nord-américaine », tout contents de nous-mêmes, nous risquons d'oublier que l'Amérique n'est pas encore à nous, qu'il ne tient pas encore à nous de l'aménager à notre façon et que, pour reprendre un passage du fameux discours de François Aquin à l'Assemblée nationale, le 3 août 1967, « nos compatriotes sont pauvres dans un pays riche, citoyens de seconde classe dans leur propre cité, forcés de travailler dans la langue des maîtres, étrangers sur le sol

---

1. Lon Nol (1913-1985) : au Cambodge, chef des armées du prince Sihanouk puis premier ministre, il renverse le prince en 1969 et instaure un régime militaire anticommuniste. Pendant la guerre du Viêt Nam, il combat aux côtés des Américains.
2. On aura compris qu'il sera question de *Place à l'homme* d'Henri Bélanger (HMH, 1971) et d'*Une culture appelée québécoise* de Giuseppe Turi (Éd. de l'Homme, 1972). *[NdA]*

même de leur patrie, déchirés entre ce qu'ils sont et ce qu'ils voudraient être [1] ». Et ce beau gâchis n'est tout de même pas la faute des
55 grammairiens, que je sache. Pourquoi alors a-t-on intérêt tout à coup
à brandir le mythe d'une « langue québécoise » si on ne tient aucun
compte des conditions réelles d'existence de ceux qui la parlent ? C'est
cela précisément qui s'appelle idéologie. Est idéologique tout discours
qui fait écran entre l'état réel et la conscience possible qu'on peut avoir
60 de cet état. Or le *réel* ici n'est pas qu'on ait créé une langue, si fine soit-
elle, mais qu'elle ne trouve à exercer aucun pouvoir politique et économique réel. Il n'y a pas de quoi se péter le torse de fierté pour cette
seule raison que nous habitons l'Amérique du Nord et que nous parlons une langue soi-disant adaptée à ses réalités. La géographie n'a
65 rien à voir avec la liberté. L'idéologie se caractérise précisément par
des mots de nature magique qu'on prend bien soin par ailleurs de ne
jamais définir : ils éblouissent d'abord pour ensuite aveugler jusqu'à ce
que les problèmes réels soient noyés dans la confusion et l'obnubila-
tion de la conscience. L'important donc n'est pas de savoir *où* nous
70 vivons mais, ayant simplement reconnu sans emphase l'emplacement
de notre existence, de savoir ce que nous allons enfin nous apprêter à
aménager la réalité au lieu de nous la laisser imposer. La langue est de
ces questions que nous aurons à poser sérieusement un jour ou
l'autre.
75   Je ne cacherai pas qu'en matière de linguistique, après avoir assidû-
ment fréquenté Saussure, Chomsky, Guillaume, Sapir, Jakobson, Whorf
et Martinet, je n'ai finalement retenu qu'un seul maître : Gaston
Miron. Sa doctrine est plutôt simple, il me l'a expliquée en trois points,
comme il l'explique tous les jours à ceux qui veulent bien l'entendre :
80   1. Toute considération sur l'état linguistique du Québec qui ferait
        abstraction des conditions proprement *politiques* d'exercice de
        la langue doit être tenue comme nulle et non avenue, sinon
        comme une fumisterie.

---

1. Cité dans *L'Histoire 1534-1968*, p. 560. [NdA]

2. Notre langue, dans son exercice quotidien, est le reflet de notre asservissement social, politique et économique et non moins quotidien.

3. En conséquence de quoi, toute tentative de renverser l'ordre existant des choses et de transformer notre aliénation collective en libération collective doit faire apparaître la transmutation de notre expression linguistique comme un processus particulièrement révolutionnaire.

Henri Bélanger lui non plus n'est pas linguiste ; comme Ulysse, c'est un homme de guerre : officier de la *Canadian Army*, attaché aux *head-quarters* à Ottawa. Il ne l'a pas trop dit dans sa biographie, mais enfin c'est comme ça. Peut-être est-ce même la raison pour laquelle, sur la question des trois points de la doctrine mironnienne, il s'est senti obligé de prendre le contre-pied absolu de chacune des propositions :

1. En 253 pages de considérations sur la langue parlée au Québec, il a trouvé le moyen de ne pas faire allusion une seule fois aux conditions politiques d'épanouissement de la langue. Je fais remarquer en passant que le mot *Québécois,* pour désigner ses compatriotes, lui est tout à fait inconnu au profit de *Canadiens* ou *Canadiens français*, ce en quoi il est en *retard d'usage* d'une bonne génération politique (peut-être pas tout à fait innocemment d'ailleurs).

2. Il fait porter son analyse et ses démonstrations sur le lexique, qui est pourtant considéré en science linguistique comme la partie la plus superficielle d'une langue. Et encore est-ce le plus souvent sur le lexique des réalités rurales, alors que, si je suis bien informé, la « masse parlante » du Québec se compose pour une majeure partie de non-ruraux, travailleurs de l'industrie, petits salariés, journaliers des classes moyennes en voie de prolétarisation. Et puis, une langue c'est plus qu'une série lexicale ; c'est aussi et surtout une syntaxe et une morphologie. Mais il serait peut-être inquiétant pour certains d'apprendre que le français parlé au Québec ne diffère *en rien* (du point de vue de la syntaxe et de la morphologie) du français commun à tous

ceux qui parlent français dans le monde. Pensez donc! Si on
allait soudain faire appuyer notre cause par 70 millions de parlant français dans le monde! Mieux vaut nous garder à vue dans
notre parc de 5 millions et nous convaincre que c'est là notre
réalité spécifique, mes p'tits moutons!

3. Aucun indice dans son livre ne laisse supposer que l'auteur
entrevoit à plus ou moins longue échéance un changement en
profondeur des structures politiques et sociales du Québec.
Tout va bien, merci Majesté! Pour éviter en conséquence la
question *réelle*, qui est politique, il fait porter son artillerie sur
des vétilles faciles: l'impérialisme français (plutôt farfelu quand
on sait que la France ne possède même pas la valeur d'un demi
d'un pour cent des capitaux du Québec et que pour pouvoir
parler d'impérialisme culturel, il faut tout de même que cet
impérialisme soit fondé sur une base économique); les puristes
grammairiens (ils sont au nombre de deux ou trois au Québec,
et personne n'a seulement les moyens de les écouter); enfin, les
professeurs qui, comme on sait, ont déjà changé pas mal de choses
au pays du Québec. C'est ce qu'on appelle en bref du *détourne-
ment idéologique*. Un militaire ne va tout de même pas perdre
son temps à détourner les avions de Quebecair. Comme il lui
faut tout de même détourner quelque chose, ce quelque chose
c'est l'idée dangereuse que les Québécois sont en train de se faire
d'eux-mêmes. C'est à quoi s'est aussi attelé le nouveau coordon-
nateur au ministère des Affaires intergouvernementales (tiens,
tiens, comme tout se tient!), Giuseppe Turi. Mais nous y revien-
drons plus loin.

Ceci dit, qu'il soit bien entendu au départ que je ne suis pas un
« défenseur du bon parler » ou un « défenseur de la langue française ».
La langue française est un système d'assez d'expérience pour se
défendre tout seul. Je me suis donné comme tâche plus urgente la
dénonciation des idées reçues sur la langue et la culture. Ces idées
reçues (d'on ne sait où) forment un univers mental borné et perpétuent,
peut-être sans le savoir ou le *sachant très bien*, une sorte d'obscurantisme dont nous n'avons précisément pas besoin au moment où nous

entendons nous libérer de toute servitude. Cet obscurantisme est le
155 voile derrière lequel se cache une idéologie que je voudrais bien avoir
contribué à débusquer. Aussi, je récuse par avance tout appui qui me
viendrait de soi-disant puristes en matière de langue et je récuse bien
davantage tout accueil favorable qui ne s'engagerait pas à endosser les
conséquences d'un geste dont la portée est de nature absolument *poli-*
160 *tique*. Ce n'est pas la langue que je défends, c'est ce qui la précède et la
suppose : la liberté.

Il est entendu que si je cherche à parler à la première personne du
singulier (c'est-à-dire la mienne), c'est que je n'ai reçu de la part des
personnes concernées, en l'occurrence mes compatriotes, aucune
165 autorisation, aucun mandat pour parler au pluriel. Chacun supporte
sa peau. D'ailleurs, le « nous autres » m'agace, d'autant qu'il ne correspond la plupart du temps à rien. Ce n'est pas parce que j'appartiens à
un « peuple » que je dois m'entendre nécessairement avec chacune des
personnes qui le composent. J'y ai des amis et j'y ai des ennemis. Sans
170 parler de tous ceux qui me sont inconnus. Ce qui ne m'empêche pas
de prévaloir d'une solidarité ferme avec tous ceux qui, pour l'instant,
mènent le même combat et partagent les mêmes objectifs de nature
politique. Là s'arrête ma complicité. Pour le reste j'ai le droit le plus
strict de me reconnaître davantage de points communs avec un pro-
175 gressiste du Venezuela, du Togo ou de France qu'avec mon voisin réac-
tionnaire et québécois, nonobstant que j'aie avec ce dernier une
parenté « d'origine, de culture et de langue » dont je ne vais tout de
même pas me faire un blason. Il faut être déjà libre soi-même pour
désirer et réclamer la liberté de la multitude.

180 Il sera donc beaucoup question de langue et de linguistique dans ce
qui suit, mais tout autant de politique et de sociologie. Je n'ai aucun
mépris pour la langue de mes compatriotes, j'aurais d'ailleurs mauvaise grâce à en avoir, né à Saint-Henri, Montréal, P. Q. où c'était la
langue du quartier. Je ne renie rien. Je sais cependant que les boulever-
185 sements auxquels nous devons nous attendre et qui nous amèneront à
devenir enfin nous-mêmes, nous amèneront du même coup des
répercussions certaines dans l'ordre de l'univers mental qui sert de fond
à l'épanouissement de l'expression verbale. C'est en allant au-devant

de ces bouleversements que je soumets ici un ordre d'analyse bien différent de celui que proposent Bélanger et Turi. La guerre de Troie
n'aura pas lieu [1], c'est possible. J'aurai du moins tout fait pour ne pas
l'éviter. Il y a une éternité que je l'attends. Et l'éternité, c'est long. Surtout vers la fin [2].

Ulysse soldat

Ulysse n'était peut-être pas linguiste, du moins s'occupait-il des
affaires : il faisait la guerre et la faisait bien, c'était son métier. On ne
peut pas en dire autant de nos mini-Ulysses contemporains et compatriotes, qui ne sont pas linguistes non plus, pas même soldats, tout au
plus des mercenaires à la solde idéologique d'un pouvoir aux abois qui
n'ose plus dire son nom et nous fait pousser dans les pattes, par personnes interposées, une assez ridicule bébelle de bois. Ils se sont
quand même trompés d'époque et de nation : non ; on n'est pas aussi
cave que les Troyens. D'ailleurs leur grosse bête de bois n'est pas aussi
réussie que celle d'Ulysse : on voit les oreilles des mercenaires qui
dépassent de partout. S'il y en a qui sont encore assez *troyens* pour s'y
laisser prendre, libre à eux : la liberté va jusque-là, ou bien elle n'existe
pas. Ça sera une preuve de plus qu'il ne suffit pas de vivre dans une
réalité pour la comprendre, et que l'idéologie, faite précisément d'un
brouillage des notions pouvant servir à l'analyse du réel, aura agi effi-
cacement sur eux. Reste les autres, ceux qui reconnaissent la duperie
au premier coup d'œil et qui refusent de faire, comme on le leur
demande, l'apologie d'un état linguistique et culturel qui n'est que le
produit de notre asservissement collectif. Combien sont-ils, ceux-là ?
Je ne le sais pas. En tout cas, c'est à eux que je dédie ce livre. Parce que
ce sont eux qui anticipent la libération, l'appellent et la précipitent.
Tous les chevaux de Troie n'y feront rien. Et si d'aventure que nous
devions encore passer à côté de notre destin historique, ça ne sera pas
la première fois : mais ça sera peut-être la dernière. On pourra quand
même dire que je serai mort assez fâché, ce qui n'est pas très bon pour
le squelette, paraît-il.

---

1. Titre d'une pièce de Jean Giraudoux, créée en 1935.
2. Citation de l'écrivain Franz Kafka reprise par l'acteur et réalisateur américain Woody Allen.

Oui, l'Amérique peut encore se faire en français, à condition de ne pas s'en faire d'ores et déjà une mythologie idiote. Celle que nous ferons dans ces conditions, avec ce que nous avons de passé et ce que nous avons d'avenir, ne s'appellera peut-être plus tout à fait l'Amé-
225 rique. Ce sera la *Presqu'Amérique,* la bien nommée, où il nous suffira de devenir enfin ce que nous sommes. Être authentique, c'est ne pas avoir à constamment éprouver sa présence pour devoir être. C'est être tellement à soi, qu'on n'y pense plus et qu'on *fait.* Nous valons bien n'importe qui, et n'importe qui nous vaut aussi — personne, en
230 vérité, n'est interchangeable. La faillite humaine de nos voisins du Sud devrait assez nous enseigner que ce n'est pas parce que l'on vit sur un continent nouveau qu'on refait un homme neuf. Nous n'avons donc pas à marcher sur leurs pistes. Je ne connais pas la bonne direction : j'attends la liberté, c'est elle qui risque le mieux de nous indiquer la
235 route et de nous révéler à nous-mêmes.

Pour l'instant, la « question linguistique » ne peut être qu'un signe parmi d'autres d'une revendication plus générale embrassant l'ensemble des conditions de la vie, y compris la vie même. Limiter cette revendi-cation au droit à la formation d'une « petite langue bien à nous autres »,
240 c'est un projet mesquin et sans grande portée ; c'est reprendre à son compte la fameuse mythologie de monseigneur Ché-Pas-Qui, qui disait à la fin du siècle dernier : « Le Québec est l'Athènes de l'Amé-rique. Les Anglo-Saxons, eux, possèdent les hauts-fourneaux. Mais nous, nous embraserons le continent avec les hauts-fourneaux de
245 notre esprit et de notre culture. » Avec les résultats que l'on connaît… Et il y a encore des Bélanger et des Turi pour reprendre cette idiotie. Et un drôle de piège. La culture n'est *rien* si elle n'est pas un élément de l'*action.* Et c'est avec des mots d'ordre comme celui de monseigneur, de Bélanger et de Turi, qu'on va se faire *pogner* encore une fois.
250 La guerre de Troie est déjà commencée. Il nous reste peu de temps pour la gagner. Peu de temps, c'est très long, surtout vers la fin. En tout cas, elle donnera lieu à une opération qui n'est pas négligeable et qui aura consisté à transformer l'*homme d'ici* en *homme ici,* tout simplement.

Louky BERSIANIK

Née en 1930

XVIII
UN OS SURNUMÉRAIRE

L'Euguélionne
1976

FEMMES

1   728.

Hommes de la Terre, dit l'Euguélionne, avez-vous déjà vu un os sur-
numéraire ou une esquille se mettre à composer des symphonies ?
Avez-vous déjà vu une propriété mobilière prendre la parole et réciter
5   des poèmes ?

      Hommes de la Terre, avez-vous déjà vu un éboueur, avez-vous déjà
vu un vidangeur écrire des chefs-d'œuvre, assis sur leurs tas d'ordures ?
Avez-vous déjà vu un paillasson composer une épopée universelle ?

      Hommes de la Terre, avez-vous déjà vu un objet d'usage courant se
10 mettre à pondre des chefs-d'œuvre ? Votre théière s'est-elle jamais
mise à parler et à dire des choses sensées ?

      Hommes de la Terre, avez-vous déjà vu des objets d'art se substi-
tuer à leur créateur ? Avez-vous déjà vu des mégères apprivoisées vous
disputer le droit de penser et de créer des objets d'art ?

15   Hommes de la Terre, avez-vous déjà vu une fleur faire de la
peinture ? Une colombe inventer des machines à voler ?
729.
Pourquoi voudriez-vous que vos ménagères aient du génie ?
730.
20 Hommes de la Terre, avez-vous déjà créé dans la hantise de déplaire à
la personne aimée ? Non dans la crainte que votre œuvre pourrait lui
déplaire, mais dans la crainte qu'elle vous tienne rigueur de votre
génie ?

Hommes de la Terre, avez-vous déjà créé dans la hantise de manquer
à vos enfants? Non dans la crainte de ne pouvoir subvenir à leurs
besoins, mais dans la crainte de ne pas leur donner l'attention que
réclame votre génie?

Hommes de la Terre, avez-vous déjà créé dans la hantise d'être ridiculisés par la critique, d'être insultés, bafoués jour après jour par les
Hommes et les femmes de la Terre, non parce que vos œuvres ne
valent rien, mais parce que vous osez créer?

Hommes de la Terre, vos œuvres ont-elles déjà été marquées par
toutes ces hantises, en ont-elles jamais été diminuées?

A-t-on déjà dit à Shakespeare ou à Michel-Ange qu'à titre de mâles
c'était un crime que de vouloir sculpter, que de vouloir écrire, que le
mieux pour eux était de devenir de bons pères de famille? Les a-t-on
ridiculisés ou traînés dans la boue d'avoir osé s'exprimer à la face du
monde?

A-t-on déjà refusé aux mâles l'accès aux académies ou institutions
supérieures sous prétexte qu'ils ne savaient pas danser ou que leur
croupe n'était pas assez appétissante?

731.

Hommes de la Terre, pourquoi voudriez-vous que vos femelles aient
du génie?

Je vous trouve bien ingénus et bien inconséquents, dit l'Euguélionne, quand vous dites que dans leurs propres domaines, elles n'ont
pas su se montrer géniales.

Et depuis quand, dites-moi, des postes de chefs cuisiniers sont-ils
offerts aux femmes sur le marché du travail? Avez-vous déjà entendu
qu'une grand-mère, une mère, une épouse, aient fait un procès au
grand « maître queux » pour avoir utilisé les recettes dont elles étaient
les auteures? Existe-t-il seulement un féminin à l'expression « chef
cuisinier »?

Et depuis quand, dites-moi, le mot « couturière » a-t-il le prestige
du mot « couturier »? Depuis quand prend-on les couturières au
sérieux et leur donne-t-on leur chance? Depuis quand laisse-t-on les
femmes devenir de « grands couturiers »?

732.

Pendant des siècles, dit l'Euguélionne, vous avez *prétendu* avoir du
60 génie, car il s'agissait pour vous de transcender la nature, de l'améliorer à votre profit. Vous y avez cru si fort que le génie a fini par
poindre... Quelques-uns d'entre vous en ont eu.

Mais pendant tout ce temps, pendant ces mêmes siècles, vous avez
essayé de convaincre les femmes de votre espèce qu'elles n'avaient pas
65 de génie, qu'elles ne pouvaient pas en avoir, car il s'agissait pour elles
de se soumettre à la nature, à leurs dépens et à votre profit. Tous les
moyens étaient bons dans cette entreprise, depuis la force musculaire
jusqu'au chantage sentimental. Et vous avez été si impérieux, si impé-
ratifs et si ironiques, qu'elles ont fini par vous croire, qu'elles ont fini
70 par comprendre que ce n'était pas du tout dans leur intérêt d'avoir du
génie. Et elles n'en ont point eu... Ou bien, elles ont eu le génie de ne
pas en avoir pour ne pas vous contrarier... Les autres, vous les avez
brûlées vives, par millions !

733.

75 L'Université s'ouvrait pour vous dès le XIIe siècle.

Depuis quand est-elle ouverte aux femmes ?

Pour combien de siècles de rattrapage doivent-elles se recycler ?

734.

Hommes de la Terre, vos chefs-d'œuvre sont admirables, dit l'Euguél-
80 lionne. Ils m'enflamment sur le coup, parce que je suis une femme
sensible, mais l'instant d'après je suis refroidie parce que je ne suis pas
Humaine, parce que je ne participe pas à votre Humanité.

Je n'ai pas d'admiration pour les œuvres des Hommes, dit l'Euguél-
lionne, parce qu'elles se font aux dépens de la liberté et de la créativité
85 de la majorité de l'Humanité. Et qu'est-ce que je vois ? Qu'est-ce que
j'entends ? Des chefs-d'œuvre tronqués, des chefs-d'œuvre boiteux,
de pâles reflets des chefs-d'œuvre possibles, de ceux qui sont à venir.

Je n'ai pas d'admiration et mon émotion devant eux se pourrit et
s'empoisonne par le fait même, je n'ai pas d'admiration pour les
90 chefs-d'œuvre des Hommes, parce qu'ils ont été possibles grâce au
massacre de l'intelligence et de la sensualité de la moitié de l'Humanité tout au long des siècles.

Tout le monde sait bien, pourtant, que derrière chacun de vos grands Hommes, il y a une femme pour l'épauler, le torcher et le
95   nourrir à la petite cuiller.

Tout le monde sait bien, pourtant, que derrière le cher grand Homme, se tient une femme (c'est parfois la même) pour l'inspirer, le rassurer, le consoler, et parfois le ramasser à la petite cuiller...
735.
100   Les avez-vous observés entre eux, dit l'Euguélionne, et avez-vous remarqué comme ils sont touchants! Il arrive parfois qu'ils donnent, sans le savoir, tout un spectacle son et lumière. Voyez-les alors s'entradmirer, s'entrenvoyer des fleurs, voyez-les s'entrecrier au chef-d'œuvre dès que l'un ou l'autre d'entre eux a pondu son œuf tout
105   chaud teinté si possible d'hilarante ou grave misogynie «pas méchante pour un sou», entre deux feuilles blanches ou sur un carton noir, et les avez-vous écoutés? Entendez-les s'entreféliciter, regardez-les s'entre-pondre des essais sur leurs essais portant sur les chefs-d'œuvre de l'un ou l'autre d'entre eux qui est peut-être mort fou, préférablement sur
110   sa ponte, et encore mieux entre deux bières et deux hoquets et mille imprécations.

Bien sûr que j'exagère! Mais quand donc finirez-vous de les prendre au sérieux?

Ils ont massacré tant de libertés, réduit tant de femmes en esclavage
115   au nom de l'Art et même au nom de la Liberté! Oubliant que l'Art était une manifestation de la Vie, ils ont décrété que la vie émanait de l'Art comme la femme de la côte d'Adam. Et regardez comme l'Art leur est resté collé entre les doigts comme une poisse.
736.
120   L'héritage de l'Homme, dit l'Euguélionne! Qui veut le sauver? Qui tient à le sauver? Qui en prend les moyens?

Quant à vous, femmes de la Terre, en quoi cet héritage boiteux vous concerne-t-il? Vous n'y apparaissez que comme de beaux objets d'art ou comme des mégères plus ou moins apprivoisées.
125   737.
Il faudrait, dit l'Euguélionne, déplacer le monde de quelques millimètres vers le côté féminin: l'art et la littérature y gagneraient beaucoup.

Tous les livres sont remplis de « la femme », mais elle y est mal conçue, mal accouchée. Toutes choses existantes dans le cerveau des Hommes
130 sont imprégnées de « la femme », mais d'une substance stérilisante pour elle.

Cela ne serait pas grand-chose que de déplacer le monde de quelques millimètres, dit l'Euguélionne. Et la liberté y gagnerait sur toute la ligne.

135 738.

Et vous, objets d'art figés sur des socles, vous, mégères intrépides, ne vous laissez plus apprivoiser, descendez de vos socles ou remontez de vos enfers, brisez ces statues de vous-mêmes et marchez sur ces débris...

Simone de Beauvoir, auteure du livre
Le deuxième sexe, publié en 1949.

René LÉVESQUE

(1922-1987)

Déclaration du premier ministre du Québec
à l'Assemblée nationale
10 octobre 1978

POLITIQUE

1 **La démarche du gouvernement du Québec d'ici le référendum**

Bientôt, nous aurons la première occasion de notre histoire de fixer nous-mêmes, entre Québécois, la direction politique que nous voulons prendre à l'avenir.

5 L'échéance n'est pas pour demain, mais elle approche tout de même à grands pas. Juste avant l'ajournement d'été, la loi qui établit les mécanismes de la consultation populaire a finalement été adoptée. Étant donné, par ailleurs, l'engagement que nous avons pris de tenir le référendum avant nos prochaines élections, une phase nouvelle 10 s'ouvre maintenant au cours de laquelle il nous faudra définir et détailler le contenu de l'option qui en fera l'objet. Et pour commencer, le temps est venu d'en évoquer à nouveau et d'en réaffirmer les éléments essentiels.

C'est avec sérénité et d'avance avec fierté que nous le faisons, car 15 nous sommes sûrs que le Québec ne ratera pas cette occasion historique de s'assurer la plénitude de la liberté comme aussi de la sécurité collective.

Ce qui ne signifie pas, cependant, que nous sous-estimions les difficultés d'une telle étape, ni les appréhensions qu'elle peut susciter 20 dans bien des esprits. Il est normal, en effet, que bon nombre de gens se sentent encore hésitants, incertains, et qu'ils redoutent les changements que produira une telle décision. Sans compter les efforts de ceux pour qui l'avenir comme le passé ne saurait être que minoritaire

et dépendant, il est naturellement malaisé pour une société autant que
25 pour chacun de nous d'avoir ainsi à réorienter son existence. C'est
pourtant le genre de moment, à la fois privilégié et toujours un peu
angoissant, qui se présente infailliblement à tous les peuples le long du
chemin. Et ceux qui ont alors assez de maturité et de confiance en soi
pour relever le défi de façon positive, quels que soient les problèmes
30 qui continueront à surgir par la suite, ne regrettent jamais d'avoir pris
le tournant.

Telle doit être, et telle sera aussi notre décision, car c'est tout le sens
de notre histoire et la continuité de notre évolution qui nous y conduisent.

35 La maturité

Cet aboutissement logique que nous proposons s'appelle, comme
chacun le sait, la Souveraineté-Association. Si nous avons choisi, dès le
départ, ce nom composé, c'est pour bien marquer le double objectif
de notre démarche constitutionnelle. Il n'est pas question, dans notre
40 esprit, d'obtenir d'abord la souveraineté, puis de négocier l'association par la suite. Nous ne voulons pas briser, mais bien transformer
radicalement, notre union avec le reste du Canada, afin que, doréna-
vant, nos relations se poursuivent sur la base d'une égalité pleine et
entière. La souveraineté et l'association devront donc se réaliser sans
45 rupture et concurremment, après que les Québécois nous en auront
donné le mandat par voie de référendum.

Puisque ces deux notions de souveraineté et d'association se com-
plètent, il nous faut donc préciser ce que nous entendons par l'une et
par l'autre, avec ce trait d'union que nous mettons entre les deux.

50 La souveraineté, c'est très simplement, très normalement, pour
nous comme pour les autres peuples, le fait d'accéder à la pleine responsabilité nationale. Nous y venons plus tardivement que la plupart
des autres. Mais si nombreux qu'aient été les accidents de parcours et
laborieux le cheminement, jamais nous n'avons cessé d'aspirer obsti-
55 nément à être un jour maîtres chez nous. Des lointains débuts colo-
niaux jusqu'à ce demi-État que nous a consenti le régime fédéral, nous
avons tendu constamment à nous débarrasser des pouvoirs qui

pesaient sur nous de l'extérieur. Ayant acquis au siècle dernier la souveraineté partielle d'une province, nous en avons sans cesse réclamé
60   l'élargissement. Comme en témoignent, sans exception, les positions
de tous ceux qui, depuis des décennies, se sont succédé à la direction
du Québec, pour administrer cette souveraineté tronquée, en ayant si
souvent à la défendre contre les empiètements. Ce qui, soit dit en passant, est également ce que nous faisons de notre mieux, à notre tour,
65   tant que nous sommes encore dans le régime actuel. Mais en sachant
aussi que, pour mettre fin une bonne fois à l'écartèlement des esprits,
à la division coûteuse de nos énergies et de nos ressources, il est indispensable de le remplacer.

Pour ce faire, il faut rapatrier chez nous le pouvoir exclusif de faire
70   des lois et de lever des impôts. La souveraineté, voilà précisément ce
qu'elle implique. Comme les autres, le Québec sera souverain quand
son Assemblée nationale sera le seul parlement qui puisse légiférer sur
son territoire, et que les Québécois n'auront d'autres taxes à payer que
celles qu'ils auront eux-mêmes décidé de s'imposer. Pour la première
75   fois, nos instruments politiques ainsi que les principaux moyens
financiers et économiques de la collectivité seront regroupés au même
endroit, en un seul centre de décision entièrement à notre service.

Le Québec et le Canada

Mais cette légitime affirmation d'un peuple, l'évolution du monde
80   nous enseigne qu'elle n'exclut pas du tout les mises en commun qui
sont mutuellement avantageuses. L'interdépendance étroite des
nations contemporaines, le volume de leurs échanges, la facilité de
leurs communications, les poussent naturellement à s'associer dans
maints domaines afin de favoriser un développement conjoint. Cela
85   est d'autant plus vrai dans notre cas, que nous partageons depuis deux
siècles avec nos amis du reste du Canada un espace économique
commun et qu'une foule de nos activités sont fortement intégrées et
complémentaires.

Nous voulons donc conserver intact cet espace économique cana-
90 dien, avantageux pour nous comme pour les autres, avec la liberté de
circulation aussi complète que possible des produits, des capitaux et
des personnes. Concrètement, cela signifie, par exemple, qu'il n'est
pas question d'établir de douanes ni d'exiger de passeport entre le
Québec et le reste du Canada.

95   Et comme complément logique à la conservation et au bon fonc-
tionnement des marchés que nous partageons, nous sommes également d'avis qu'il nous faut assurer en commun le maintien de la
monnaie actuelle. En négociant de bonne foi, on devrait parvenir à
pouvoir confier la gestion de la devise et des politiques monétaires à
100 une banque centrale conjointe. Là encore, c'est pour protéger l'espace
économique existant et maintenir la facilité des échanges commer-
ciaux que nous croyons opportun d'adopter cette position.

C'est d'ailleurs dans ce même esprit de renouveau et de continuité
à la fois, et en donnant à la notion d'interdépendance tout son con-
105 tenu de solidarité collective, que le Québec devra aussi prendre sa
place dans les alliances nord-américaine et nord-atlantique, afin de
contribuer, si modestement que ce soit, à la sécurité d'ensemble des
démocraties occidentales.

Et voilà pourquoi, depuis le début, nous évoquons la souveraineté
110 et l'association comme deux objectifs complémentaires et pas du tout
contradictoires, qui vont dans le sens de notre histoire et qui correspondent aussi, mieux que toute autre formule, à l'évolution des peuples.
En s'inscrivant dans ces grands courants politiques et économiques
qui parcourent le monde, les Québécois auront même la chance de
115 contribuer, avec les Canadiens, au progrès de cette formule d'avenir
en définissant leur propre modèle de souveraineté-association.

Chose certaine, en tout cas, on ne voit rien d'autre à l'horizon qui
soit susceptible de briser le cercle vicieux dans lequel sont enfermés
deux peuples distincts, que tout appellerait pourtant à se mieux com-
120 prendre et à se respecter. Et à mesure que l'on s'aperçoit que notre
opinion n'est nullement inspirée par l'hostilité, que bien au contraire
elle vise à nous sortir les uns et les autres d'une impasse que le régime
actuel est absolument incapable de résoudre, peu à peu des esprits qui

étaient d'abord réfractaires commencent à s'ouvrir, la discussion
125 s'amorce et même des tenants officiels du fédéralisme se voient désormais contraints d'en tenir compte, sur le mode négatif bien sûr, mais
c'est déjà en quelque sorte l'hommage que l'impuissance rend à la
fécondité politique.

  […]

René Lévesque, le 16 octobre 1980.

Fête de la Saint-Jean, 1990.

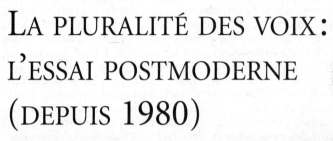

LA PLURALITÉ DES VOIX : L'ESSAI POSTMODERNE (DEPUIS 1980)

INTRODUCTION

Comme l'essai est le genre littéraire de l'opinion, il constitue le meilleur outil analytique pour photographier les soubresauts d'une époque. Cependant, à l'instar d'une supernova qui brille de tous ses feux pendant un court laps de temps, l'essai peut rapidement perdre de son éclat une fois l'attention médiatique consumée. Dans le Québec contemporain, un débat sur la place publique peut rarement durer plus de quelques semaines. En fait, télévision, radio, journaux et Internet doivent s'ajuster au désir de surconsommation du citoyen : son intérêt et son implication dans une cause demeurent vifs, mais arrivent rapidement à saturation. Ayant récemment gagné leur liberté d'expression, les penseurs abordent désormais une variété de sujets dans une gamme tout aussi diversifiée de formes. Le discours, même politique, cède sa place à l'écrit. Ces réflexions sont dûment publiées, bel et bien consacrées comme archives du présent. Professeur à l'Université Laval, le sociologue de réputation internationale Fernand Dumont est l'auteur de l'indispensable *Genèse de la société québécoise,* parue en 1993. Plus tard, dans *Raisons communes,* il dégage les principales perspectives d'avenir du Québec en matière de culture et d'économie politique. Également poète et théologien, il est recruté par René Lévesque pour élaborer le projet de loi 101. Cette charte de la langue française, tout comme la loi 178 portant sur l'affichage, seront sévèrement attaquées en 1992 par l'écrivain anglophone Mordecai Richler, dans un virulent pamphlet. Parce qu'il avait traité à mots couverts René Lévesque de nazi dans un article paru dans une revue de Boston en 1977, on a longtemps reproché à l'écrivain montréalais d'abuser de son prestige à l'étranger pour ternir la réputation des Québécois « pure laine », comme si l'opinion de Richler se faisait l'écho de la communauté anglophone entière. En revanche, ce choc des points de vue nourrit considérablement le genre littéraire qu'est l'essai. En 1993 paraissent les mémoires politiques de Pierre Elliott Trudeau, premier ministre du Canada au moment du référendum de 1980. Adversaire politique de René Lévesque, il revisite en fédéraliste convaincu ce pan de notre histoire sur un ton anecdotique et noble tout à la fois.

Si Voltaire a exercé une influence considérable sur les journalistes canadiens-français du XIXe siècle, l'essai français n'a rien perdu de son ascendant au XXe siècle. Les anthropologues Serge Bouchard et Bernard Arcand se sont inspirés notamment de la démarche adoptée par Roland

Barthes en 1957 dans ses *Mythologies* pour créer des capsules radiophoniques qui analysaient les petits riens du quotidien, ces lieux dits « communs ». Ces entretiens sont publiés en plusieurs recueils au cours des années 1990. Du pipi au golf, en passant par le pneu, le pâté chinois et le baseball, rien ne semble à leur épreuve. Sous forme de décapants dialogues entre oiseaux moqueurs, Arcand et Bouchard ironisent à souhait en estimant les habituels délaissés de la critique intellectuelle, c'est-à-dire *le banal et le populaire*. Pour sa part, François Ricard, professeur de littérature à l'Université McGill, dépeint dans *La génération lyrique* (1992) la Révolution tranquille des écrivains et de leurs lecteurs. Ce faisant, il rend compte avec finesse des liens de causalité qu'entretiennent l'art et les changements sociopolitiques. Rappelons aussi qu'à l'époque la question de la langue *joualisante* devenait le point névralgique où convergeaient nombre d'essais. Ce débat linguistique a persisté, même à l'aube de l'an 2000. Le parolier Georges Dor, auteur de *La Manic*, chanson fredonnée par nombre de francophiles, demeure l'un des plus ardents défenseurs d'un français fier, pur et par conséquent articulé. Dans le prologue de son essai *Anna braillé ène shot (elle a beaucoup pleuré)* paru en 1996, il déplore la piètre qualité du français québécois en la définissant comme « une langue informe, invertébrée, dérivé incompréhensible de la langue française ». Si le joual assure selon certains le triomphe de la nation québécoise, qu'en est-il du multiculturalisme ? Qu'advient-il alors du métissage culturel, caractéristique d'un pays accueillant ? Dans *Le marché aux illusions,* Neil Bissoondath dissèque les préjugés raciaux en recourant aux images du quotidien. Né à l'île de Trinité dans les Caraïbes, il habite le Canada depuis 1973, et refuse (avec raison) d'être, en tant qu'écrivain, catalogué dans la littérature migrante. Le féminisme est une autre notion que l'on aime à percevoir comme cloîtrée, refermée sur elle-même. Longtemps, les idées de la « minorité silencieuse » ont été véhiculées dans des revues spécialisées telles que *La vie en rose*. Sa fondatrice, Hélène Pedneault, y a d'ailleurs publié en 1986 un morceau d'anthologie, une exquise lettre fictive raillant les valeurs de la femme qui se dit *moderne*. L'écrivaine Suzanne Jacob, de son côté, prouve dans *La bulle d'encre* (1997) que la sensibilité féminine sait également poser un regard analytique sur la société d'aujourd'hui. Enfin, le style soigneusement désordonné et aimablement provocateur de Pierre Foglia, éditorialiste au quotidien *La Presse*, ne saurait être passé sous silence. Parfois détesté par ses admirateurs, parfois apprécié par ses détracteurs, tous cependant redoutent son courroux.

Tableau chronologique (1980 à 2007)		
ÉVÉNEMENTS SOCIO-HISTORIQUES AU QUÉBEC	**ÉVÉNEMENTS LITTÉRAIRES ET CULTURELS AU QUÉBEC**	**ESSAIS PUBLIÉS AU QUÉBEC**
1980 Pierre Elliott Trudeau, premier ministre du Canada jusqu'en 1984. René Lévesque, premier ministre du Québec jusqu'en 1985. Échec du premier référendum sur la souveraineté du Québec.	Michel Tremblay, *Thérèse et Pierrette à l'école des Saints-Anges.* Yolande Villemaire, *La vie en prose.* René-Daniel Dubois, *Panique à Longueuil.*	Paul Chamberland, *Terre souveraine.* Gilles Archambault, *Les plaisirs de la mélancolie. Petites proses presque noires.* André Belleau, *Le romancier fictif.*
1981	Normand Chaurette, *Provincetown Playhouse, juillet 1919, j'avais 19 ans.* Jean-Pierre Ronfard, *Vie et mort du roi boiteux.*	Madeleine Ouellette-Michalska, *L'échappée des discours de l'œil.*
1982 Loi constitutionnelle : rapatriement de la constitution canadienne qui était encore une loi britannique. Charte canadienne des droits et libertés.	Anne Hébert, *Les fous de Bassan.*	
1983		Pierre Bourgault, *Écrits polémiques, 1960-1981.*
1984 Brian Mulroney, premier ministre du Canada jusqu'en 1993.	Jacques Poulin, *Volkswagen blues.* Jacques Savoie, *Les portes tournantes* (1984) Marie Laberge, *L'homme gris.*	André Belleau, *Y a-t-il un intellectuel dans la salle ?* Suzanne Lamy, *Quand je lis, je m'invente.* Lise Gauvin, *Lettres d'une autre.* Jean-Louis Major, *Entre l'écriture et la parole.*
1985 Robert Bourassa, premier ministre du Québec jusqu'en 1994.	Yves Beauchemin, *Le matou.* Dany Laferrière, *Comment faire l'amour avec un nègre sans se fatiguer.*	François Ricard, *La littérature contre elle-même.* Jacques Ferron, *Lettres aux journaux.*

Tableau chronologique (1980 à 2007)			
ÉVÉNEMENTS SOCIO-HISTORIQUES AU QUÉBEC	**ÉVÉNEMENTS LITTÉRAIRES ET CULTURELS AU QUÉBEC**	**ESSAIS PUBLIÉS AU QUÉBEC**	
	René-Daniel Dubois, *Being at Home with Claude*.	André Belleau, *Surprendre les voix*. Victor-Lévy Beaulieu, *Chroniques polissonnes d'un téléphage enragé*.	1986
Accord du lac Meech : négociations sur le partage des pouvoirs entre le fédéral et le provincial.	Francine Noël, *Myriam première*. Robert Lepage, *La trilogie des dragons*.	Naïm Kattan, *Le repos et l'oubli*. Jean Larose, *La petite noirceur*.	1987
Accord de libre-échange entre le Canada et les États-Unis.	Noël Audet, *L'ombre de l'épervier*. Christian Mistral, *Vamp*. Michel Marc Bouchard, *Les feluettes ou la répétition d'un drame romantique*.	Hélène Pedneault, *Chroniques délinquantes de la vie en rose*. André Brochu, *La visée critique*. Nicole Brossard, *La théorie, un dimanche*.	1988
	Louis Hamelin, *La rage*.	Gilles Marcotte, *Le roman à l'imparfait ; la révolution tranquille du roman québécois*. Jacques Brault, *La poussière du chemin*. Pierre Vadeboncoeur, *Essai sur une pensée heureuse*.	1989
Échec de l'accord du lac Meech.		Pierre Bourgault, *Maintenant ou jamais*. Jacques Godbout, *L'écran du bonheur*. Marcel Rioux, *Un peuple dans le siècle*.	1990

Tableau chronologique (1980 à 2007)		
ÉVÉNEMENTS SOCIO-HISTORIQUES AU QUÉBEC	**ÉVÉNEMENTS LITTÉRAIRES ET CULTURELS AU QUÉBEC**	**ESSAIS PUBLIÉS AU QUÉBEC**
1991		Jacques Brault, *Ô saisons, Ô châteaux.*
1992 Référendum sur les accords de Charlottetown. Accord de libre-échange nord-américain (ALENA) entre le Canada, les États-Unis et le Mexique.		François Ricard, *La génération lyrique.*
1993 Jean Chrétien, premier ministre du Canada jusqu'en 2003. Le gouvernement Bourassa adopte la loi 86 permettant le bilinguisme dans l'affichage commercial.	Monique Proulx, *Homme invisible à la fenêtre.* Régine Robin, *La Québécoite.* Ying Chen, *Les lettres chinoises.*	Fernand Dumont, *Genèse de la société québécoise.* Bernard Arcand et Serge Bouchard, *Quinze lieux communs.*
1994 Jacques Parizeau, premier ministre du Québec jusqu'en 1996.	Réjean Ducharme, *Va savoir.* Sergio Kokis, *Le pavillon des miroirs.*	
1995 Réduction de la fonction publique fédérale. Échec du deuxième référendum sur la souveraineté du Québec.	Monique LaRue, *La démarche du crabe.* Dominic Champagne, *La répétition.* Ying Chen, *L'ingratitude.* Michel Tremblay, *Un ange cornu avec des ailes de tôle.*	Neil Bissoondath, *Le marché aux illusions.*
1996 Réforme du régime d'assurance-chômage. Lucien Bouchard, premier ministre du Québec jusqu'en 2001.		Georges Dor, *Anna braillé ène shot.*
1997	Bruno Hébert, *C'est pas moi, je le jure !* Sylvain Trudel, *Le souffle de l'Harmattan.*	Suzanne Jacob, *La bulle d'encre.*

Tableau chronologique (1980 à 2007)			
ÉVÉNEMENTS SOCIO-HISTORIQUES AU QUÉBEC	ÉVÉNEMENTS LITTÉRAIRES ET CULTURELS AU QUÉBEC	ESSAIS PUBLIÉS AU QUÉBEC	
	Jean Bédard, *Maître Eckhart*. Maxime-Olivier Moutier, *Marie-Hélène au mois de mars*. Gaétan Soucy, *La petite fille qui aimait trop les allumettes*.	Pierre Nepveu, *Intérieurs du Nouveau Monde*.	1998
	Wadji Mouawad, *Littoral*.		1999
	Gil Courtemanche, *Un dimanche à la piscine à Kigali*.	Pierre Vadeboncoeur, *L'humanité improvisée*. Madeleine Gagnon, *Les femmes et la guerre*.	2000
Bernard Landry, premier ministre du Québec jusqu'en 2003.	Guillaume Vigneault, *Chercher le vent*. Yann Martel, *Histoire de Pi*.	Jean-Pierre Issenhuth, *Rêveries*.	2001
Paul Martin, premier ministre du Canada jusqu'en 2006. Jean Charest, premier ministre du Québec.			2003
	Jean Barbe, *Comment devenir un monstre*.	Pierre Foglia, *Le tour de Foglia*.	2004
	Marie-Claire Blais, *Augustino et le chœur de la destruction*. Robert Lepage, *Le projet Anderson*.		2005
	Evelyne de la Chenelière, *Désordre public*. Neil Bissoondath, *La clameur des ténèbres*.	Jean Paré, *Délits d'opinion*. Robert Lévesque, *Récits bariolés*. Yvon Rivard, *Personne n'est une île*.	2006
		Monique LaRue, *De fil en aiguille*.	2007

Hélène PEDNEAULT
Née en 1952

**Y a-t-il une vraie femme dans la salle ?
ou *Real Woman, Real Muffin***

La vie en rose
1986

FEMMES

1

Toronto, le 15 mai 1986

Madame Jehane Benoît [1]
La Cuisine arraisonnée
Montréal, Canada

5 Ma chère Jehane,

C'est un appel au secours que je vous écris en silence parce que je
crois que vous êtes la seule personne au monde à pouvoir régler mon
angoissant dilemme, les thérapeutes étant trop chers. J'étais en train
de faire ma recette habituelle de *muffins,* le regard perdu dans mes
10 pensées domestiques, me réjouissant dans mon cœur en pensant à la
joie habituelle de mon mari et de mes enfants devant mes beaux
muffins tout bruns et tout chauds, quand tout à coup, ma main droite
se figea dans le bol Corning Ware que ma mère m'offrit pour mes
25 ans. Un doute insupportable venait d'envahir les méandres com-
15 plexes de mon cerveau-direction : les *muffins* doivent-ils absolument
contenir des raisins pour être de vrais *muffins* authentifiés ? Devais-je
continuer à ne pas en mettre parce que mon mari a toujours eu dédain
des raisins, y compris dans le vin, ou devais-je au contraire en mettre
parce qu'il n'y a pas de vrais *muffins* sans raisins, imposer ma décision

---

1. Jehane Patenaude Benoît (1904-1987) : gastronome et cuisinière montréalaise réputée, elle est
l'auteure de nombreux livres dont *La cuisine raisonnée* et l'*Encyclopédie de la cuisine canadienne,*
véritable bible de l'art culinaire québécois.

20 en toute lucidité à mon mari en lui faisant comprendre qu'à notre niveau de *standing*, nous ne pouvions pas nous permettre de manger du toc ?

Je ne résolus pas mon problème, et il n'y eut pas de *muffins* cette journée-là. Je culpabilisai sans rien dire de mon angoisse devant les
25 regards tristes et bourrés de reproches silencieux de mon mari et de mes enfants. Ils furent très compréhensifs envers moi, ils ne dirent rien. Mais après trois jours d'insomnie carabinée, je me résous à vous écrire. J'ai peur de développer un cancer à force de douter de l'authenticité de mes *muffins*.

30 Parce que, vous comprenez, je viens d'adhérer à un mouvement révolutionnaire qui a bouleversé ma vie. Et depuis que j'ai choisi le *vrai* chemin, tout est tellement plus clair pour moi : j'ai enfin compris la célèbre phrase de Simone de Beauvoir [1], « On ne naît pas femme, on le devient », parce que c'est l'illumination que j'ai eue récemment en
35 découvrant l'existence de ce mouvement. J'ai aussi compris pourquoi elle avait intitulé son livre *Le deuxième sexe*. Elle avait raison, nous sommes effectivement le second, et nous sommes faites pour être les deuxièmes. Comme c'est valorisant d'être une excellente deuxième, sans le poids de la responsabilité énorme de la première place ! Nous
40 n'avons pas les reins assez solides, je m'en rends compte tous les jours en transportant mes sacs de commissions et mon panier de linge mouillé de la cave à la corde à linge (ça sent tellement meilleur au grand air ; mon mari et mes enfants n'en reviennent jamais, ce qui me valorise beaucoup).

45 Mais vous devez connaître déjà ce merveilleux mouvement puisque nous avons fait la une du très sérieux *Devoir* [2], ce qui est pour nous une reconnaissance extraordinaire : il s'agit des *Real Women*. J'imagine qu'au Québec vous éprouverez comme toujours le besoin de traduire l'expression, n'ayant pas encore résolu le problème du bilin-
50 guisme. Pour vous faire plaisir, je dirai « les Vraies Femmes ».

---

1. Simone de Beauvoir (1908-1986) : écrivaine française, véritable figure de proue du féminisme au XXᵉ siècle depuis la publication, en 1949, de son essai *Le deuxième sexe*.
2. *Le Devoir* : journal montréalais indépendant, fondé en 1910 par Henri Bourassa.

Ça ne fait pas de différence pour moi, c'est la réalité qui compte. Moi qui avais toujours eu un gros problème d'identité, voilà que j'ai enfin trouvé ma voie. Notre première action officielle sera de militer contre le lave-vaisselle [1], parce qu'une vraie femme ne peut vivre son
55 identité que les mains dans l'eau de vaisselle bien savonneuse (nous recommandons Ivory parce qu'il laisse les mains douces pour caresser les maris stressés par trop de responsabilités). « Je pense, donc j'essuie » est une de nos devises.

Nous avons bon espoir de convaincre les multinationales du bien-
60 fondé de notre première revendication. Nous n'en aurons qu'une à la fois, comme ça nous effraierons moins les gens. Entre vous et moi, le féminisme nous aura au moins appris ce qu'il ne faut pas faire. Gloire à ces furies d'un autre temps. *Requiescat in pace* [2]. Et « *swingue* la baquaise dans le fond de la boîte à bois ! Halte là, halte là, halte là, les
65 *Real Women* sont là ! » Mon Dieu, je me laisse emporter par mon enthousiasme débordant. Excusez mes folies.

Pour en revenir à nos *muffins*, j'attends de vous une réponse immi-nente. Depuis que je suis une vraie femme, je ne peux permettre, à aucun moment, que le faux l'emporte sur le vrai. Je suis dans l'authen-
70 tique à plein temps. J'écouterai votre parole religieusement, vous ne perdrez pas votre temps avec moi. Je suis quelqu'un qui croit en vous, comme des milliers de femmes avant moi.

Veuillez agréer, chère Jehane Benoît, mes sentiments les plus vrais,

(LA VRAIE) BETTY CROCKER [3]

---

1. Je dois ce gag à un dénommé Jean-Pierre Morin. Non, ce n'est pas mon mari. *[NdA]*
2. *Requiescat in pace* : locution latine signifiant « Qu'il repose en paix ».
3. Betty Crocker : emblème commercial de la cuisine américaine. Cette parfaite reine du foyer fut inventée par la compagnie Washburn Crosby, ancêtre de General Mills, en 1921. Son nom est celui d'une employée retraitée.

POLITIQUE

Mordecai RICHLER

(1931-2001)

Oh Canada ! Oh Québec !
Requiem pour un pays divisé
1992

1   Le premier ministre Bourassa, n'ayant toujours pas arrêté les règlements de la loi 178 [1], promit le 14 mars *[1990]* de nouveaux règlements
sur l'affichage. De son côté, le Mouvement Québec français organisa
une marche à Montréal où 10 000 personnes manifestèrent contre
5   l'inquiétante menace de l'affichage bilingue à l'intérieur des magasins.
Puis un groupe nationaliste extrémiste, le Rassemblement pour un
pays canadien-français, publia un pamphlet intitulé *Le Québec n'est*
pas fait pour l'immigration où l'on réclamait l'arrêt complet de l'immigration, affirmant que les nouveaux venus volaient les emplois de
10 vrais Québécois plus qualifiés, dont le seul péché était qu'ils n'étaient
ni noirs, ni jaunes, ni rouges. « Les premiers étrangers à s'établir chez
nous — les Anglais se sont imposés par la force, y lisait-on, et ils n'ont
jamais cessé d'encourager la venue d'immigrants qui se rangent tous
de leur côté à la première occasion [2]. »
15   Un péril pire pour la langue française fut prédit par un documentaire présenté à la télévision de Radio-Canada : *Disparaître : le sort iné-*
vitable de la nation française d'Amérique ? [3]

---

1. Loi 178 : en décembre 1988, le gouvernement libéral du Québec, dirigé par Robert Bourassa,
dépose ce projet de loi visant à amender la loi 101, soit la Charte de la langue française. Celle-ci
visait entre autres à protéger la langue française en légiférant en matière d'affichage unilingue
dans les commerces et dans la publicité.

2. *The Gazette*, 15 fév. 1990 ; voir *Le Devoir*, 14 fév. 1990. *[NdA]*

3. Jean-François Mercier, *Disparaître*, Office national du film du Canada, 1989, 108 min 50 sec.

Dès le générique d'ouverture, la caméra montrait une fête du clan
Tremblay de Chicoutimi, tous *Québécois de vieille souche*, c'est-à-dire :
20 blancs, catholiques et francophones, aux racines remontant à plusieurs générations. Un porte-parole de la famille, s'adressant à ses
congénères, les exhortait à « se réveiller et se multiplier » ! Puis Lise
Payette, l'ancienne ministre péquiste qui narrait le film, intervenait
sur le ton de la menace : « Les Tremblay sont menacés ! La nation
25 aussi ». Mme Payette, qui signe aujourd'hui des téléromans populaires
à Radio-Canada, prédisait des problèmes raciaux dans toute ville dont
la minorité constituait quatorze pour cent de la population, et à
Montréal, les impurs, dont moi-même et ma famille bien-aimée sans
aucun doute, comptaient déjà pour dix-huit pour cent de la popula-
30 tion. « Nous vivons dangereusement », disait-elle.

On comprit exactement à quel point on vivait dangereusement
lorsque la caméra se déplaça vers Marseille, où la minorité nord-
africaine pose un problème, et de là vers l'Angleterre raciste, où l'on
nous montrait une mère britannique qui avait sorti son enfant de
35 l'école parce que, disait-elle, « il s'était mis à chanter des berceuses en
pendjabi et en ourdou[1] ».

La statistique la plus fascinante du film *Disparaître* mentionnée à la
sauvette, comme cela se comprend — montrait que des 516 090 immigrants qui étaient entrés au Québec depuis 1969, quelque 312 000
40 avaient jeté un coup d'œil et fiché le camp. Qu'importe, un jésuite
interviewé prédisait que Montréal deviendrait un nouveau Beyrouth[2]
et implorait le gouvernement de limiter l'immigration aux pays dont
la culture est compatible avec celle du Québec. Et Gilles Vigneault, le
populaire poète et chansonnier nationaliste, tenait pour évident que la
45 culture française serait réduite à rien au Québec d'ici l'an 2000.

[...]

Le dimanche 12 mars, les nationalistes descendirent à nouveau dans
les rues de Montréal encore une fois. Ils étaient cette fois près de 60 000
à protester contre la décision de Bourassa de permettre l'affichage

---

1. Pendjabi et ourdou : langues parlées en Inde et au Pakistan.
2. Beyrouth : capitale du Liban secouée par une guerre civile en 1988.

50   bilingue à l'intérieur de certains magasins québécois. Parmi les mani-
      festants, on retrouvait les chanteurs populaires René et Nathalie
      Simard, souvent décrits comme les Donny et Marie Osmond[1] du
      Québec. « Nous avons été élevés en français, bafouilla René devant un
      micro de la télévision, et je veux que mes enfants en souffrent aussi. »
55   Puis, constatant ce qu'il avait dit, il se reprit aussitôt : « Je veux pour
      eux le même beau destin, si je puis dire[2]. »
          Quinze cents militants francophones accueillirent Bourassa avec
      des huées hors de l'Assemblée nationale lorsque celle-ci reprit ses tra-
      vaux quelques jours plus tard. À l'intérieur, le même premier ministre
60   qui, trois ans plus tôt, avait déclaré « totalement inacceptable » l'inter-
      diction de l'anglais dans l'affichage public, se vanta que son gouverne-
      ment, n'écoutant que son courage, avait surpassé le Parti québécois en
      plantant là *les autres*. « Jamais auparavant dans l'histoire du Québec,
      déclarait-il, un gouvernement n'avait suspendu les libertés fondamen-
65   tales pour protéger la langue et la culture françaises[3]. »
          On connaissait déjà alors les détails tant attendus de la réglementa-
      tion sur l'affichage. Selon les nouvelles directives, un responsable de la
      Commission de protection de la langue française avait fait la déclara-
      tion suivante : « Les lettres françaises doivent être plus grosses que les
70   lettres anglaises ; les espaces entourant ces lettres doivent être plus
      larges pour les lettres françaises ; le message français doit être placé à
      gauche de l'anglais ou au-dessus ; les lettres françaises et anglaises
      doivent être de même couleur, à défaut de quoi, la couleur des lettres
      françaises doit être plus voyante (l'inspecteur de la commission déci-
75   dera quelle couleur serait la plus voyante) ; si le français et l'anglais ont
      la même dimension dans un message, il doit y avoir alors deux fois
      plus de messages français qu'anglais[4]. »
          Claude Ryan assuma alors la responsabilité de la langue au conseil
      des ministres. Ryan, cet intellectuel autrefois très respecté qui avait été

---

1. Donny (né en 1957) et Marie Osmond (née en 1959) : duo de chanteurs bien connu de la télévision américaine.
2. *Ibid.*, 13 mars 1989. *[NdA]*
3. *Ibid.*, 15 mars 1989. *[NdA]*
4. *Ibid.*, 15 mars 1989. *[NdA]*

80 directeur du *Devoir* pendant quinze ans, s'était habitué, à l'époque où
il était journaliste, à être consulté par les premiers ministres québécois
avant que ceux-ci ne fassent des pas de géant ou même de nain.
« J'étais accoutumé à ce que les gouvernements respectent mon
journal, avait-il déclaré un jour à un reporter, me respectent et tiennent
85 compte de mes opinions [1]. »

Après que le Parti québécois de René Lévesque eut défait le Parti
libéral à l'élection de 1976 et après la démission d'un Bourassa
humilié, Ryan décréta que le Parti libéral avait désormais besoin d'un
nouveau chef « connu pour sa réputation d'intégrité et respecté par
90 ses concitoyens [2] ». Se voyant dans le miroir, il crut se reconnaître dans
l'image ainsi réfléchie. Tiens, tiens, tiens… voilà l'homme, se dit-il.
Tenu pour un sauveur par l'establishment du Parti libéral, la course à
la direction du parti qu'il remporta ne fut que brièvement menacée
par un petit scandale vite étouffé au congrès. Le scandale des foulards.
95 Les foulards en question, écrit L. Ian MacDonald dans *De Bourassa à
Bourassa*, étaient rouges et remis à tous les sympathisants de Ryan au
Colisée de Québec, mais il y avait un problème :

> Les foulards étaient *made in Japan,* ce qui ne manquerait pas
> d'irriter les fabricants locaux de textile et inciterait les journa-
100 > listes à dire que Claude Ryan donnait des foulards unilingues
> anglais. Lucette Saint-Amand et quelques volontaires avaient
> donc passé une nuit à arracher les étiquettes des foulards [3].

Poussé à la tête du Parti libéral en 1978, Ryan s'effondra à l'élection
de 1981, perdant aux mains du Parti québécois, peut-être parce qu'il y
105 avait quelque chose dans l'homme, dont la frugalité était notoire, qui
annonçait que s'il était élu, les beaux jours seraient terminés. Renversé
en 1982, il accepta de devenir le ministre le plus important dans le
cabinet de Bourassa, et en décembre 1988, menaça de démissionner à
moins que le premier ministre, qui tergiversait à ce moment ne se

---

1. L. Ian MacDonald, *From Bourassa to Bourassa : A Pivotal Decade in Canadian History,* Montréal,
Harvest Press, 1984, p. 34 ; *De Bourassa à Bourassa,* Montréal, Éditions Primeur Sand, 1985,
p. 32. [NdA]
2. *Ibid.,* p. 18. [NdA]
3. *Ibid.,* p. 79. [NdA]

110 retranche derrière la clause nonobstant et n'impose la loi 178. Ryan
confirma alors que «pour un avenir indéterminé», l'affichage
bilingue ne serait pas permis à l'intérieur des franchises et des grands
magasins.

La prise de position de Ryan étonna les Anglo-Québécois, qui se
115 souvenaient qu'en 1977, à l'époque où il était directeur du *Devoir*, il
s'en était pris à la Charte de la langue française parce qu'elle créait «la
fâcheuse impression qu'aux yeux du gouvernement, il y aurait au
Québec deux classes de citoyens, les francophones et les autres[1]»,
vision de la province qui était inacceptable pour tout démocrate digne
120 de ce nom. Dans un autre éditorial, il s'en prenait à «la manière raide,
dogmatique [...] et autoritaire dont on prétend imposer l'usage
exclusif du français [...] le gouvernement franchit néanmoins allègrement le chemin qui va de l'affirmation des droits de la majorité à la
négation pure et simple de ceux de la minorité principale[2]». Un an
125 plus tard, prenant la parole lors d'une élection partielle dans Montréal,
il affirmait «qu'un droit perdu était perdu pour toujours[3]».

Nullement troublé, Ryan expliqua son revirement en déclarant
qu'il avait constaté que la gestion des droits linguistiques n'était pas
une question de droits fondamentaux. «Ce n'est pas comme le droit
130 de parole ou la liberté de culte. Ça, c'est sacré, déclara-t-il à *The
Gazette*. Les droits linguistiques sont fonction des ententes concrètes
qui varient selon les circonstances.» L'affichage commercial, à son
avis, n'était que de la publicité. «Nous réglementons la publicité de
toutes sortes de façons. Ce n'est pas une question de droit de parole.
135 C'est la liberté du dollar, et ça, ça ne me regarde pas[4].»

[...]

Au début de mai, Claude Ryan, qui avait autrefois déploré dans *Le
Devoir* l'absence de *leadership* du Parti libéral, apporta les derniers raf-
finements à la loi 178. Il introduisit son règlement «deux pour un»

1. Claude Ryan, *A Stable Society*, traduit par Robert Guy Scully assisté de Marc Plourde, Montréal, Éditions Héritage, 1978, p. 148 ; voir *Une société stable*, p. 208. *[NdA]*

2. *Ibid.*, p 134 ; voir *ibid.*, p. 193 et 194. *[NdA]*

3. *The Gazette*, 21 mars 1989. *[NdA]*

4. *Ibid.*, 9 sept. 1989. *[NdA]*

140   dans l'affichage bilingue intérieur, ce qui voulait dire que l'affichage français devait être deux fois plus large ou nombreux que l'affichage anglais. Son règlement, qui toucherait près de 100 000 entreprises québécoises comptant quatre employés ou moins, devait être respecté d'ici décembre 1990. C'était, insistait Ryan, l'application la plus simple
145   possible du principe de la prédominance. Les écarts à la règle, disait-il, seraient examinés individuellement. Si, par exemple, les affiches françaises dans un magasin étaient d'un néon vert et que les affiches anglaises étaient d'un beige ordinaire, mais qu'il y en avait deux fois plus que les enseignes françaises, un inspecteur de la Commission de
150   la langue ferait un rapport détaillé, et les commissaires décideraient éventuellement si l'affichage français avait « plus d'impact [1] ».

     Bien sûr, l'interprétation que Ryan donnait de la loi, qui entraînerait l'utilisation d'échelles de couleur ainsi que les services de décorateurs intérieurs, fut immédiatement attaquée par les fanatiques
155   québécois de la langue et les anglophones indignés.

     Le président de la Société Saint-Jean-Baptiste déclara : « On va encore laisser le message qu'au Québec, il y a deux langues, et on choisit celle qu'on veut [2]. » Le nouveau président d'Alliance Québec dénonça la loi 178 comme étant une absurdité colossale. « Il est incroyable,
160   déclarait-il, que des gens à qui l'on prête un degré raisonnable d'intelligence aient même consacré trois secondes à ce genre de niaiserie. » Mais il doutait qu'une contestation judiciaire suffise à déclarer la loi invalide. « Franchement, dit-il, ce serait compromettre notre dignité que de la contester [3]. »

165   Chez Woody's, il fut décrété que la loi, telle que mise de l'avant par Ryan, n'allait pas assez loin, et nous créâmes immédiatement ce que nous avons appelé la Société Deux-fois-plus. La société, fut-il décidé, exigerait l'adjonction d'une modification à la loi 178 qui forcerait les gens parlant français à parler deux fois plus fort que ceux parlant
170   anglais, à l'intérieur comme à l'extérieur. Les inspecteurs de la Commission de la langue française seraient armés d'audiomètres pour

---

1. *The Gazette*, 4 mai 1989. *[NdA]*
2. *Ibid.* ; voir *Le Soleil*, 4 mai 1989. *[NdA]*
3. *Ibid. [NdA]*

détecter les anglophones dont le ton dépasserait le murmure, et on foutrait les contrevenants en prison. Un joueur de hockey francophone marquant un but pour les Canadiens de Montréal recevrait deux fois plus d'applaudissements qu'un coéquipier minoritaire. Un membre de la collectivité, commandant un repas au restaurant, aurait droit à une double portion, et ainsi de suite. Nous avons aussi écrit une lettre au premier ministre Bourassa exigeant que la prime à la fécondité ne soit accordée qu'aux *Québécois de vieille souche,* de crainte que des allophones puant l'ail et motivés par la cupidité se mettent à polluer la province en faisant des familles impures de douze enfants ou plus.

Puis, encouragés par une nouvelle tournée, nous tentâmes d'imaginer à quel point l'anglais serait appauvri si, pour faire plaisir aux fanatiques, on en retirait tous les mots français. L'un des nôtres, un manufacturier de vêtements dans la cinquantaine, ouvrit le bal en évoquant comment, dans sa première année de puberté, la vue même du mot « brassière », et non la photographie d'un mannequin en portant une — juste le mot lui-même — était suffisant pour le faire s'enfermer aux toilettes où il se mettait la tête sous l'eau froide.

Nous décidâmes ainsi, après mûre réflexion, de supprimer tous les gallicismes de la langue anglaise. Désormais, nous ne mangerions plus de *croissants* au petit déjeuner ; plus de *nouvelle cuisine* pour nous ; dehors les *cordons bleus* ! Non, désormais, nous nous contenterions de *crescents* au petit déjeuner, nous mangerions de la *new kitchen ;* et nous mettrions nos cuisiniers à l'école de la *blue rope.*

François RICARD

Né en 1947

CULTURE

LA RÉVOLUTION TRANQUILLE OU LA REVANCHE DES RÉFORMATEURS FRUSTRÉS

La génération lyrique
1992

1   Parmi les générations plus âgées qui ont accueilli avec enthousiasme le déferlement de la jeunesse, un groupe en particulier a joué un rôle crucial. C'est le groupe formé par ceux que j'appellerai, sans y mettre aucune connotation péjorative, les réformateurs frustrés.
5 Plusieurs d'entre eux, bien sûr, sont des parents, mais c'est un aspect différent de leur « psychologie » qui me retiendra ici. D'autres, par contre, appartiennent à la génération de la crise, qui précède immédiatement la génération lyrique. Ce sont eux, à maints égards, qui sont les plus intéressants.

10   Afin de bien visualiser le petit scénario que je vais évoquer, et dont les personnages sont des groupes plutôt que des individus, le plus simple est de situer l'action dans un décor précis : le Québec.

L'époque est connue. C'est celle de la « Révolution tranquille », période turbulente s'il en est, marquée d'une part par la critique et le
15 rejet de tout un passé jugé obscur et aliénant, de l'autre par une fièvre de modernisation et d'innovation sans précédent. Sur les plans politique, idéologique et culturel, ces années représentent une rupture majeure. Dans la conscience sociale, sinon dans la réalité, c'est comme si l'histoire du Québec, tout à coup, se cassait en deux et que, sur un
20 monde ancien, épuisé d'avoir si longtemps survécu, s'en élevait subitement un autre, éclatant de fraîcheur et d'énergie, neuf, moderne, miraculeux. Partout, dans les officines du pouvoir comme dans les métaphores des poètes et des chansonniers, passe le même grand vent,

25 celui de la « genèse », du commencement, de la « fondation du territoire » : c'est le matin d'un monde.

Naturellement, l'arrivée de la génération lyrique et le déferlement
du baby-boom, c'est-à-dire la nouvelle domination de la jeunesse,
sont ici un facteur clé, sans lequel ni cette atmosphère ni ces réalisa-
30 tions n'auraient pu voir le jour. Cela dit, quand on songe à ce qui s'est
effectivement passé, force est d'admettre que ce ne sont pas les jeunes
qui ont « fait » la Révolution tranquille. En réalité, les « agents » de
cette rupture, ceux qui l'ont conçue, planifiée et réalisée, ce sont les
aînés, justement, ceux qui, au début de la Révolution tranquille,
35 tandis que la génération lyrique entrait dans l'âge de la jeunesse, com-
mençaient déjà, eux, à s'en éloigner ou l'avaient quitté depuis belle
lurette.

C'est à ces aînés que s'applique l'appellation de « réformateurs
frustrés » venue tout à l'heure sous ma plume. Réformateurs, ou réfor-
40 mistes, en effet, ces groupes nés durant les années vingt et trente
l'avaient été au moins depuis la guerre et de plus en plus au cours des
années cinquante. Beaucoup s'étaient reconnus dans les objurgations
du *Refus global* (1948), dans les analyses de *Cité libre*[1], dans l'action
des syndicats ouvriers ou dans la pensée de divers organismes d'ani-
45 mation sociale et intellectuelle. Leurs idées, leurs poèmes, leurs pro-
testations, leurs appels au changement avaient créé, dans le Québec
duplessiste, sinon un mouvement organisé, du moins une
« mouvance », un milieu où se formulaient déjà, sous forme de théories
et d'espoirs, l'esprit et les grands thèmes de la « révolution » à venir.

50 [...] Les années soixante, on le sait, sont pour la littérature québécoise une période exceptionnelle, quasi miraculeuse, tant la ferveur et
l'intensité qui les caractérisent contrastent avec la morosité des
périodes antérieures. Les maisons d'édition, les revues, les œuvres se
multiplient et étendent leur rayonnement. Les formes et les contenus
55 se modernisent, les vieux interdits volent en éclats, l'ancien provincia-
lisme un peu frileux le cède partout à l'audace, à l'innovation, à la

---

1. *Cité libre* : revue d'idées fondée en juin 1950 par Gérard Pelletier et Pierre Elliott Trudeau. Les
   idées modernes, laïques et anticléricales des auteurs s'opposaient au conservatisme du gouvernement de Maurice Duplessis et avaient pour but d'éclairer la « Grande Noirceur ».

rupture. Comme l'ensemble de la société, la littérature québécoise connaît donc elle aussi une sorte de rajeunissement subit, qui prend la forme d'un vaste courant de redéfinition et de recommencement. Elle
60 aussi, en somme, est au matin du monde.

Ce qui frappe cependant, quand on analyse d'un peu plus près le déroulement de cette « renaissance », c'est qu'elle n'est pas due, comme on le pense (et l'affirme) parfois, à la génération d'après-guerre, mais bien plutôt à cette autre génération dont je viens de
65 parler, celle des aînés venus au monde aux environs de la crise et qui, au début des années soixante, atteignent ou dépassent déjà la trentaine. À quelques exceptions près, les grandes œuvres qui donnent le ton de la « nouvelle » littérature québécoise et l'incarnent par excellence, les œuvres phares, je dirais, qui éclairent et résument le mieux
70 cette époque, sont le fait d'auteurs qui ont commencé à écrire dès les années cinquante et même avant, mais qui l'ont fait jusqu'alors dans une solitude ou une obscurité quasi complètes.

Cela est singulièrement vrai pour l'essai, quand on pense non seulement aux *Insolences du Frère Untel,* mais à des ouvrages plus signifi-
75 catifs encore comme *La ligne du risque, une littérature qui se fait* [1] ou *L'homme d'ici* [2], tous publiés au début des années soixante, mais tous écrits et pensés, pour l'essentiel, durant la décennie précédente. En poésie, le phénomène est encore plus marqué : l'« âge de la parole [3] », ainsi qu'on désigne souvent les années soixante, c'est en réalité la
80 période 1945-1960 qui l'a conçu et mis par écrit. Enfin, du côté du roman et du théâtre, la plupart des auteurs considérés comme les plus influents et les plus novateurs se recrutent, là encore, parmi les aînés. Si bien qu'il serait plus juste, quand on parle de la littérature québécoise de cette époque, de la voir plutôt comme une « découverte » que
85 comme une « invention », c'est-à-dire comme la révélation au grand jour d'un corpus déjà constitué antérieurement mais confiné jusqu'alors dans une sorte de clandestinité.

---

1. Essai sur l'évolution de la littérature au Québec publié en 1962 chez HMH par Gilles Marcotte, futur professeur à l'Université de Montréal.
2. Ouvrage écrit par Ernest Gagnon, publié en 1952 par l'Institut littéraire du Québec.
3. Période poétique liée aux éditions de l'Hexagone, fondées en 1954.

Bien sûr, le rôle de la génération lyrique n'est pas à négliger pour autant. Mais c'est avant tout un rôle passif. Certes, cette génération fournit quelques écrivains et des œuvres importantes au renouveau littéraire : Marie-Claire Blais, Réjean Ducharme, André Major, la plupart des membres de *Parti pris*[1] sont bel et bien nés pendant la guerre. Mais outre que ces auteurs appartiennent à la toute première cohorte de ce que j'appelle la génération lyrique et ne la représentent donc pas encore dans toute sa spécificité et sa splendeur, leur contribution, si éclatante soit-elle, ne change rien au fait que, pour l'essentiel, la fonction littéraire de la jeunesse des années soixante n'a pas été de créer mais de lire et d'accompagner ; d'être en somme, un bon public.

Loin de demeurer secondaire, cette fonction a pourtant été cruciale. Pour deux raisons au moins. D'abord, sans cette foule d'adolescents et de jeunes adultes qui se mettent à lire et à étudier la littérature québécoise contemporaine, qui achètent des livres, qui admirent les écrivains, qui se reconnaissent dans leurs œuvres et dans leurs idées, il est certain que cette littérature n'aurait pas connu alors l'« ébullition » qu'elle a connue.

Mais le rôle du public, on l'oublie trop souvent, ne se limite pas à la lecture et à la consécration des œuvres. Plus que simple destinataire, plus que simple clientèle, le public est aussi origine, source d'inspiration, milieu d'où la littérature tire, sinon sa matière, du moins sa langue et, plus encore, sa tonalité, sa couleur, l'esprit particulier qui la fait vivre. Il n'est pas indifférent pour un auteur d'appartenir à une époque et à un milieu effervescents ou tranquilles, en proie au changement ou à la stabilité. Pour les écrivains québécois des années soixante, le fait de se trouver entourés et comme portés par une société où l'envahissement des jeunes favorise un immense brassage des idées et des valeurs et une sorte d'emballement de la dynamique sociale, ce fait, très certainement, y est pour beaucoup dans l'originalité et l'audace de leurs œuvres, et donc dans le décollage littéraire de ces années.

---

1. *Parti pris* : revue d'idées politiques et culturelles fondée en 1963 par de jeunes écrivains montréalais. Cette génération d'auteurs aurait pu être renommée, à juste titre, le « Front de libération intellectuel du Québec ».

120 Si l'exemple de la littérature québécoise me paraît si intéressant, c'est qu'il assez facilement « généralisable » et permet de saisir ce qu'ont été la position et le rôle de la génération lyrique dans l'ensemble de la Révolution tranquille et peut-être également dans les évolutions analogues qu'ont connues au même moment d'autres sociétés que la nôtre.

125 Il montre à nouveau, cet exemple, que l'invasion des jeunes ne doit pas être imaginée nécessairement comme un choc opposant aux nouveaux venus des anciens qui s'acharneraient à préserver leurs positions et à éviter ou endiguer les changements provoqués par ce décentrage du vieil équilibre démographique. Il n'y a pas eu, il n'a pas 130 pu y avoir, il n'a pas été nécessaire qu'il y ait des « putschs » de la jeunesse pour déloger les aînés et s'emparer du pouvoir. En fait, le besoin de transformation, les projets de réformes, l'appel à la rupture politique, sociale et idéologique, toute la thématique de la Révolution tranquille en somme, étaient dans l'air depuis un certain temps déjà, 135 sans toutefois réussir à se matérialiser de façon significative.

Le premier rôle de la génération lyrique et du baby-boom aura été, par leur bruyante et incontournable visibilité, de modifier radicalement les bases sur lesquelles s'appuyait le vieil ordre, dès lors déphasé et caduc, et de rendre ainsi le changement à la fois possible et inévitable. 140 La jeunesse des années soixante, en d'autres mots, n'a pas eu à agir. D'autres l'ont fait à sa place et en son nom. Il lui a suffi d'être là, tout simplement, et de déferler. La Révolution tranquille, c'est avant tout l'accueil de cette présence et de ce déferlement par des aînés qui ont su en faire usage pour mener à bien leurs entreprises jusque-là empêchées.

Pierre Elliott TRUDEAU

(1919-2000)

Mémoires politiques
1993

POLITIQUE

1   Le référendum au Québec fut le premier défi d'importance que
j'eus à relever après l'élection de 1980. C'est le sort du Canada qui se
trouvait en jeu et, par voie de conséquence, celui de notre gouvernement. Car dans mon esprit, il ne faisait pas le moindre doute que je
5 devrais démissionner, si les séparatistes gagnaient ce référendum. En
pareille occurrence, il m'aurait fallu conclure : « J'ai perdu la confiance
du peuple québécois qui a choisi de quitter la fédération canadienne.
Je n'ai mandat de négocier ni cette séparation ni une association nouvelle avec un Québec souverain. » De fait, j'ai toujours pensé que René
10 Lévesque aurait dû faire le même raisonnement et démissionner lui-
même, une fois que les électeurs eurent répudié ce qui était la raison
d'être de son gouvernement. Mais ce n'était pas là le seul point que
nous ne voyions pas du même œil.

   Au départ, diriger la campagne en faveur du NON fut l'affaire
15 exclusive de Claude Ryan, qui avait succédé à Robert Bourassa comme
chef du Parti libéral québécois. Je connaissais Ryan depuis longtemps.
On peut dire sans se tromper que les origines de nos pensées respectives sont très différentes. Je crois, comme je l'ai déjà dit, qu'il avait fait
une erreur très grave, pendant la Crise d'octobre 1970, en apposant sa
20 signature au bas d'un manifeste qui préconisait la libération des
« prisonniers politiques » felquistes comme moyen de sauver les vies

de Pierre Laporte et de James Cross. Mais la nouvelle de son engagement en politique active dans le Parti libéral du Québec m'avait quand même réjoui. Je me souviens de m'être dit, quand j'appris que les libé
25 raux québécois en avaient fait leur leader : « Voici un homme aux mains nettes, capable de penser clairement. Il va donner au parti provincial une vigueur nouvelle et lui rallier de nouveaux éléments. » C'était là je crois, un sentiment assez général chez de nombreux Québécois qui attribuaient la défaite du gouvernement Bourassa, en
30 1976, à ce qu'on pourrait appeler un relâchement de la direction, peut-être même un affaissement de la moralité politique dans le PLQ de l'époque. On s'attendait que Ryan, comme leader, s'acquitterait bien de son rôle. Personnellement, je ne lui aurais pas donné mon appui, au départ, mais je me souviens d'avoir jugé que le parti provin
35 cial n'avait pas fait un mauvais choix.

Il ne tarda pas toutefois à exhiber ses vraies couleurs, c'est-à-dire à se montrer tel qu'il avait toujours été : un nationaliste, partisan de la société distincte et du statut particulier qu'il n'avait cessé de promouvoir depuis son accession à la direction du journal *Le Devoir*. Chef
40 libéral, il continua de revendiquer plus de pouvoirs pour le Québec, comme moyen de résoudre le problème constitutionnel, et je croyais fermement, pour ma part, que son parti n'avait pas fait de lui son leader pour qu'il poursuive dans cette voie. On l'avait élu pour aider les libéraux à défaire le parti séparatiste, ce qui exigeait un Canada fort
45 et une forte présence canadienne-française à Ottawa.

Nous, libéraux fédéraux, avions discuté depuis le tout début, dans notre caucus du Québec, de la forme que devrait prendre notre participation à la campagne référendaire. Je disais, pour ma part : « D'abord et avant tout, nous sommes tous des Québécois. La question relative à
50 la séparation du Québec nous intéresse donc au premier chef, nous politiciens fédéraux, aussi directement qu'elle intéresse les politiciens provinciaux. Nous sommes des Québécois ; nous allons nous exprimer. Mais nous n'allons pas nous comporter en grands frères venus diriger les opérations, ce qui pourrait jouer contre nous. » Nous

55   étions tous d'avis que le Comité du NON, sous l'autorité de Claude
      Ryan, devait diriger la campagne. Et nous apporterions à ce comité la
      collaboration qu'il attendrait de nous. Personnellement, j'avais pré-
      venu tout le monde, dès le départ, de ne pas compter sur moi pour
      faire campagne de village en village et parler à tout un chacun. Qu'est-
60   ce que j'avais à expliquer ? Tout le monde connaissait mes opinions. Je
      me serais ennuyé et j'aurais ennuyé mes auditoires, à leur répéter
      constamment les mêmes propos. J'annonçai donc que j'allais faire
      moi-même quelques apparitions au Québec. Mais ma consigne aux
      effectifs québécois de notre parti fut d'aller de l'avant, de soutenir les
65   forces du NON et de ne pas ménager leurs efforts.

      La première ronde du débat fut remportée haut la main par le Parti
      québécois. Le 20 décembre 1979, René Lévesque avait rendu publics
      les termes de la question référendaire (question pipée, à mon avis,
      comme j'aurai l'occasion de l'expliquer plus loin). Du 4 au 20 mars
70   1980, l'Assemblée nationale du Québec eut cette question comme
      unique poste à son ordre du jour. Ce premier débat était télévisé. Le
      Parti québécois l'avait mis en scène de main de maître, chaque inter-
      venant devant soutenir le OUI avec des arguments différents, afin
      d'éviter les répétitions fastidieuses. En face, les libéraux du Québec
75   s'engagèrent dans une impasse en exposant sans ordre diverses façons
      compliquées de réaliser une espèce de statut particulier pour le
      Québec. Ils tentaient d'expliciter le très complexe Livre beige[1] de
      Claude Ryan, dont l'argumentaire consistait à dire que le Québec
      devait rester intégré au Canada et fidèle au fédéralisme mais qu'il
80   devait s'efforcer d'obtenir toute une série de pouvoirs nouveaux. Le
      Parti libéral se noyait dans un marécage de sa fabrication tandis que le
      Parti québécois tenait un discours ferme et fier.

      Résultat : les nouvelles en provenance du Québec étaient catastro-
      phiques. Mes ministres et les autres membres du caucus affirmaient à

---

1. Livre beige : nom donné par les journalistes au document exposant la politique constitutionnelle du Parti libéral du Québec en 1980 (il peut être blanc, rouge ou vert, selon la couleur de la
   couverture du document officiel).

85 l'unanimité que le débat constituait un triomphe pour le Parti québécois. Ensuite, Claude Ryan, à titre de chef des forces du NON, s'engagea dans une tournée de la province, village après village ou presque, pour parler à de petits groupes. Il ne ménageait pas ses efforts mais sans grand effet; pas de manchettes dans les médias, peu d'impact sur l'opinion publique. Je jugeai alors le moment venu de lui
90 donner un plus sérieux coup de main. J'avais déjà chargé Jean Chrétien de diriger nos troupes fédéralistes mais je lui laissai alors une plus grande liberté. Je l'encourageai à plus de vigueur dans l'action, à se tailler le rôle qu'il voulait. Nous traînions de l'arrière dans les sondages. Bientôt, Ryan se rendit compte qu'il perdait du terrain et con-
95 sentit à faire de Chrétien le coprésident des forces du NON. L'arrivée de ce dernier, entouré d'une équipe gonflée à bloc, amorça un virage dans le sens de l'option fédéraliste.

Quant à moi, je m'en tins à ma résolution première de limiter mon rôle à quelques interventions seulement, mais à des moments favo-
100 rables. À mesure que le jour de vote approchait, il devenait de plus en plus clair que les gens voulaient entendre ce qu'avait à dire le Canadien français qui occupait à Ottawa le poste de premier ministre. Je pris la parole à quatre reprises seulement : le 15 avril à la Chambre des communes, le 7 mai devant la Chambre de commerce de Montréal, le
105 9 mai à un ralliement dans la ville de Québec et le 14 mai au centre Paul-Sauvé de Montréal. Je donnai sans texte chacun de ces discours, aidé de quelques notes pour me rappeler les points sur lesquels je voulais mettre l'accent. Pour l'essentiel, mon message consistait à dire aux Québécois que le parti séparatiste au pouvoir essayait de les tromper
110 au moyen d'une question truquée. Cette question longue et contournée visait à faire adhérer les gens au séparatisme, mais par étapes. J'affirmais : « Si la question était claire, formulée en noir sur blanc : "Vous, Québécois, désirez-vous la séparation, oui ou non?", je n'aurais rien à redire. Mais au lieu de cela, ils vous posent cette question com-
115 pliquée qui appelle à voter pour une souveraineté-association suivie d'autres négociations, d'autres référendums, prenant toujours pour acquis qu'après une victoire du OUI, les Québécois continueraient

d'avoir droit au dollar canadien, au passeport canadien et à d'autres avantages encore[1]. Ils vous demandent de dire oui. Or, à leur ques-
120 tion, telle qu'ils l'ont formulée, il est impossible de faire une réponse honnête. Ils vous demandent si vous désirez vous associer aux autres provinces mais comment votre vote, au Québec, pourrait-il forcer les autres provinces à s'associer à vous, dans l'hypothèse où vous auriez décidé en faveur de la souveraineté-association ? » Bien entendu, je me
125 chargeai de poser la question suivante au premier ministre de l'Ontario et à quelques autres : « Voilà qu'ils veulent vous obliger à vous associer, une fois qu'ils auront voté la séparation. Qu'en pensez-vous ? » Les Québécois n'eurent pas à tendre l'oreille pour entendre la réponse du Canada anglais qui opposait un NON retentissant à toute
130 association avec un Québec indépendant.

---

1. Formulation exacte de la question référendaire de 1980 : « Le gouvernement du Québec a fait connaître sa proposition d'en arriver, avec le reste du Canada, à une nouvelle entente fondée sur le principe de l'égalité des peuples ; cette entente permettrait au Québec d'acquérir le pouvoir exclusif de faire ses lois, de percevoir ses impôts et d'établir ses relations extérieures, ce qui est la souveraineté et, en même temps, de maintenir avec le Canada une association économique comportant l'utilisation de la même monnaie ; aucun changement de statut politique résultant de ces négociations ne sera réalisé sans l'accord de la population lors d'un autre référendum ; en conséquence, accordez-vous au gouvernement du Québec le mandat de négocier l'entente proposée entre le Québec et le Canada ? »

Neil *BISSOONDATH*

Né en 1955

CULTURE

L'ETHNICITÉ

Le marché aux illusions
1995

1   L'esprit de division est un dangereux compagnon de jeu, et peu de terrains lui sont aussi propices que celui de l'ethnicité. Il est entouré de hauts murs aussi résistants qu'une obsession. On érigera des tours de guet, des redoutes qui permettront à la fois de se défendre et de sur-
5 veiller l'ennemi. Comme pour tous les remparts, on pourra soit les accepter comme partie intégrante de la vie, soit y pratiquer des ouvertures — ou les démonter pièce par pièce — parce qu'on les jugera trop étouffants. L'idée qu'on se fait des remparts, la manière dont on vit avec eux, le fait même d'en accepter l'existence, relèvent de chacun de nous.
10   Cependant, aucune société ne peut tolérer qu'on transforme les divisions ethniques en obstacles. Aucune occasion ne doit être perdue, aucune reconnaissance et aucun avancement ne doivent être refusés. Il ne saurait être davantage question d'invoquer l'ethnicité pour réclamer des occasions, de la reconnaissance ou de l'avancement.
15 Aussi tentant que cela soit, aucune société multiculturelle ne peut permettre que les torts subis hier justifient les récriminations de demain. Dans ce type de société, il est essentiel que toute discrimination s'exerce seulement en fonction des connaissances et de la compétence. Agir autrement — exercer une forme de discrimination à l'endroit de
20 tous les hommes blancs sous prétexte que certains se sont mal conduits dans le passé, par exemple —, c'est appliquer, comme le font souvent sans le savoir ceux qui sont en faveur de la peine de mort, la loi du talion. Il y a quelque chose qui rappelle la vengeance de classe,

et une part d'hypocrisie, dans l'idée d'offrir aux victimes, ou à leurs
25 proches, la possibilité de se venger. C'est un peu comme si on soute-
nait le droit des victimes de torturer leurs bourreaux. Il est important
d'obtenir réparation, mais la nature de cette réparation l'est encore
davantage, car c'est elle qui donnera le ton au futur. On ne peut refaire
le passé, mais l'avenir reste encore à construire, et on doit trouver les
30 moyens qui permettront d'éviter de créer aujourd'hui des ressenti-
ments qui pourraient demain mener à des catastrophes. Comme l'a
clairement fait comprendre Nelson Mandela[1], si l'Afrique du Sud
pluriethnique doit un jour connaître la paix et la prospérité, ce ne sera
pas grâce à une action punitive qui viserait à corriger les injustices
35 passées ; on ne pourra y arriver qu'à travers l'entière reconnaissance
du principe de dignité humaine qui accompagne l'égalité.

Les déséquilibres économiques et sociaux ne se corrigent pas du
jour au lendemain. Seule une révolution peut entraîner un changement aussi radical, et si l'histoire du XXe siècle nous a appris une chose,
40 c'est que le changement révolutionnaire est illusoire : c'est seulement
les oppresseurs et la nature de l'oppression qui se transforment. Un
véritable changement ne peut donc être imposé ; il doit se produire
lentement, avec le temps et l'expérience, de l'intérieur.

On a déjà soutenu que le racisme serait un produit aussi typique-
45 ment canadien que le sirop d'érable. L'histoire nous en fournit largement la preuve. Cependant, le sens de la mesure exige qu'on rappelle
également que le racisme est aussi typiquement américain que la tarte
aux pommes, aussi typiquement français que les croissants, aussi typiquement indien que le curry, aussi typiquement jamaïcain que l'*akee*
50 et aussi typiquement russe que la vodka… C'est un plat qui figure au
menu de tous les restaurants du monde. Manifestation de la méchan-
ceté des hommes, le racisme n'appartient en propre à aucune ethnie, à
aucun pays, à aucune culture ni à aucune civilisation. Cela ne l'excuse
pas. Le meurtre et le viol sont aussi des phénomènes répandus dans le
55 monde, propres à toutes les cultures, qui appartiennent au côté le plus

---

1. Nelson Rolihlahla Mandela (né en 1918) : ancien président de l'Afrique du Sud qui a combattu
l'apartheid, une politique de ségrégation raciale imposée par le Parti national afrikaner, qui
dura de 1948 à 1991. En 1993, il a obtenu le prix Nobel de la paix.

obscur de la vie. Toutefois, une société avancée, une société de droit, exige que cette folie ordinaire ne nous rende pas aveugles au contexte général.

Le terme « racisme » gêne : il invite si facilement au chantage. Nous
60   pouvons l'appliquer à volonté à tout incident impliquant des personnes de couleurs différentes : si June Callwood [1] avait injurié une Blanche, il aurait été impossible de l'accuser de racisme. C'est là que réside le danger. Dans le feu de la dispute, nous nous emparons des attributs les plus évidents de l'adversaire pour le stigmatiser — ou
65   nous profitons de tout ce qui, chez lui, peut sembler un signe de vulnérabilité émotive (ou politique, comme dans le cas de Mme Callwood). Les attributs sexuels d'une femme se prêtent facilement à des expressions vulgaires qui ont pour effet de la réduire à une partie intime de son anatomie (le même procédé peut aussi être utilisé contre les
70   hommes). Un homme corpulent peut être traité de porc, un petit de microbe ou de demi-portion. De même, le Noir se change en « nègre », le Blanc anglo-saxon en « *wasp* », l'Asiatique en « paki », le Chinois en « chinetoque », l'Italien en « macaroni », le Juif en « youpin » et le Canadien français en « *frog* ».

75   Ces mots n'ont rien d'agréable : ils sont dégradants ; ils constituent une attaque dirigée contre toute sensibilité. J'ai cependant déjà connu quelqu'un qui, par une étonnante naïveté, les utilisait simplement pour désigner ces groupes et non pour les injurier. Cette personne a été horrifiée d'apprendre la vérité. Bien qu'il s'agît là d'un cas extrême,
80   il n'en demeure pas moins que l'usage des vocables aussi manifestement injurieux n'est pas toujours un signe de haine raciale ou culturelle. Il s'agit parfois seulement d'une marque d'ignorance, de stupidité ou d'insensibilité — mais nous pouvons nous réjouir que le racisme à l'état pur, celui des nazis ou du Ku Klux Klan par exemple,
85   soit une chose rare dans notre société. Il y a là-dedans, grâce à notre tradition de civisme, quelque chose qui nous apparaît comme peu canadien. Pour la majorité d'entre nous, celui qui affiche ouvertement son racisme est source d'embarras.

---

1. June Callwood : journaliste et militante sociale, née en Ontario en 1924 et décédée en avril 2007.

L'ignorance, non pas l'ignorance volontaire mais celle qui résulte
90 d'une expérience limitée et de préjugés, se traduit souvent par le déni :
« Je ne suis pas raciste, mais... » Je pense à ce déménageur, au demeu-
rant plutôt gentil, qui m'a avoué un jour : « Je ne suis pas raciste, mais
les Chinois sont tous des chauffards. » Il était convaincu qu'il en était
ainsi à cause de la forme de leurs yeux qui, selon sa thèse, limitait leur
95 champ de vision périphérique.

Il en va de même pour cet homme qui, à cause de l'idée qu'il se faisait
de l'affection des Indiens pour les blattes, refusait d'habiter les mêmes
immeubles qu'eux. Le refus obstiné des membres de la Légion canadienne [1], qui s'opposent à ce qu'on leur impose une règle qui aurait
100 pour effet d'affaiblir leur emprise sur la dernière parcelle de leur territoire qu'ils contrôlent encore, n'est pas différent. Ils seraient peu nombreux à se déclarer racistes et sans doute qu'une majorité, sinon, tous,
considéreraient l'accusation blessante ; il n'en reste pas moins que
leurs commentaires, souvent faits en toute innocence, les exposent à
105 une telle accusation.

Le vrai racisme repose le plus souvent sur l'ignorance volontaire et
sur la facilité avec laquelle nous acceptons les stéréotypes. Dans ce
pays, nous aimons croire que la mosaïque multiculturelle nous aidera
à atteindre à une plus grande tolérance. Mais, tel que nous le connais-
110 sons, le multiculturalisme se complaît dans le stéréotype, qui lui est
essentiel pour lui donner son éclat, sa couleur — et ce n'est pas une
mauvaise chose en soi. Néanmoins, une telle vision des choses ne
permet pas de répondre aux questions les plus élémentaires que se
posent les gens : ces Chinois qui participent à la Danse du dragon
115 appartiennent-ils vraiment tous à la mafia asiatique ? Les Indiennes en
sari croient-elles réellement aux vertus magiques des blattes ? Les rastas
fument-ils tous de la marijuana et vivent-ils de l'assistance sociale
entre deux délits ? Ces questions échappent au multiculturalisme. Il
est bien plus facile de s'en tenir au superficiel et au spectaculaire.
120 Il faut se méfier de ceux qui se proclament les défenseurs des minorités et qui, chaque fois, utilisent les médias pour débiter la même

---

1. Légion canadienne : organe administratif de l'Agence des services frontaliers du Canada.

rhétorique de la vengeance et ainsi exploiter la détresse en vue d'avantages personnels, politiques ou professionnels. Il faut se méfier de ceux qui trouvent dans le conflit leur raison d'être : les non-Blancs,
125 pour qui il est nécessaire de se sentir les victimes du racisme ; les Blancs, qui ont besoin de sentir qu'ils en sont les instruments. Nous devons nous assurer que, plutôt que de régler le problème, nous ne soyons pas en train de le créer. J'ignore si le concours de beauté Miss Black Canada existe toujours, mais il est à souhaiter que non. Si tous
130 les concours de beauté sont dégradants, des concours réservés à une race en particulier le seraient encore davantage. Je me demande quelle serait notre réaction si la télévision retransmettait tous les ans un concours réservé aux Blanches ? Nous décernons des médailles pour services rendus à la communauté exclusivement à des Noirs : serions-
135 nous à l'aise si de telles récompenses étaient décernées exclusivement à des Blancs ? Si nous acceptons qu'un colloque soit réservé aux écrivains non blancs, ne devrions-nous pas aussi accepter qu'il y en ait un pour les écrivains blancs ? Il y a, au Québec, une Association des infirmières noires, une Association des artistes noirs et un Congrès des
140 juristes noirs. Remplacez « noir » par « blanc », et tout de suite surgit le spectre de l'apartheid. Ce qui est raciste pour les uns l'est fatalement pour les autres.

Georges DOR

(1931-2001)

LANGUE

SUIS-JE OU NE SUIS-JE PAS ?

Anna braillé ène shot (Elle a beaucoup pleuré)
Essai sur le langage parlé des Québécois
1996

1   Vous êtes-vous déjà posé la question suivante : Combien de Québécois seront morts sans jamais avoir été, sans jamais l'avoir dit, c'est-
à-dire sans avoir jamais prononcé les mots *Je suis* ?

Songez à cela… toute une vie sans avoir dit : Je suis !

5   Il n'y a pourtant rien de plus primaire : « Je suis », première personne de l'indicatif présent du verbe *être*, prise de conscience et affirmation de sa propre existence. Ne serait-ce pas là le début du langage ?
N'aurait-on pas raison de craindre qu'à force de ne jamais dire : « Je
suis » on finisse par ne pas être, ou par n'être qu'à moitié, à peu près
10   ou bien peu et, surtout, sans jamais l'avoir affirmé ? Est-ce pour cela
que nous avons tant de mal à nous brancher politiquement et que
nous restons partagés, moitié-moitié, entre le Oui et le Non, coincés
entre le « Je suis » et le *Chu* ?...

Pire encore, non seulement une grande partie de la population
15   québécoise est incapable de dire : « Je suis », mais un très grand
nombre de Québécois ne disent même pas : « Je ». Et pour cause, car le
Je oblige pour ainsi dire au *suis* qui suit. Avez-vous déjà entendu
quelqu'un dire :

« *Je chu ?* »

20   Le *Je* est le commencement du langage et bien davantage puisque,
en philosophie, nous dit le dictionnaire, le *Je* est « le principe auquel
l'individu attribue ses états et ses actes ».

À qui attribue-t-on « ses états et ses actes » quand on dit : « *Chu* » ?
On amalgame alors dans une sorte de magma embrouillé le *Je* et le
25   *suis*, en les faisant disparaître l'un et l'autre... et l'on risque fort de
disparaître avec eux. Même la contraction du *I am* dans le langage
populaire américain conserve le *I* qui est le *Je* français et le *m* de *am* :
I'm. Tandis que dans le *chu* on ne retrouve absolument rien ni du *je* ni
du *suis*.

30   La femme qui s'écriait, cet après-midi, dans un rire gros et gras :
« *Attends meunute, m'a te pogner le zipper* », à qui attribue-t-elle ses
« états et ses actes » ? De même quand un homme dit : « *Chu ben
comme chu* » « *Chu t'allé fére un tour...* » « *Chu en tabarnaque...* »

Et si le « Je suis » existe bien peu dans la langue parlée par les Qué-
35   bécois, le « Nous sommes » n'est pas davantage utilisé. Il est remplacé
par le « *Ouin* ». De telle sorte que, pour ainsi dire, « *ouin ben de
même...* » De telle sorte aussi qu'au lieu de former un peuple nous
serons bientôt reconnus comme une société distincte... parlant de
façon indistincte.

40   Il n'est pas question de faire ici une étude exhaustive et scientifique
du langage québécois ; j'en serais bien incapable. Je ne suis pas linguiste et pas davantage grammairien, ou philologue, ou phonéticien,
ou rien de ce qui s'approche de l'étude des langues en général et du
français en particulier. Je ne suis pas non plus professeur. Je suis un
45   Québécois moyen qui s'intéresse au Québécois et qui déplore sa
misère langagière. J'ai toutefois l'avantage de connaître et d'avoir pra-
tiqué tous les niveaux du langage québécois. Je suis né il y a fort longtemps à la campagne, j'ai connu la petite école des sœurs, celle aussi
des frères enseignants. J'ai fait ensuite quelques années d'études clas-
50   siques, j'ai travaillé durant cinq ans en usine, à l'époque où on disait *la
shop*. J'ai aussi étudié, en 1952, à l'Atelier du Théâtre du Nouveau-
Monde, j'ai passé un hiver dans le bois, j'ai été annonceur dans plusieurs petits postes de radio en province, j'ai été 10 ans à l'emploi de
Radio-Canada, j'ai chanté ensuite aux quatre coins du Québec... Je
55   sais baragouiner naturellement, moi aussi : « *Chu benmoé tou* »,
« *Quosse tu veux qu'on fasse* », « *A ava rien qu'à...* » et ainsi de suite,
avec les intonations propres au joual, dont je connais les différentes

catégories. Car le parler joual n'est pas uniforme et il se manifeste aussi bien dans la syntaxe que dans la prononciation, allant de la
60 picouille au joual de race, si je puis dire, d'où la difficulté de lui trouver des lois ou d'en fixer les règles. Ainsi :

« *Mon boss veut nouère* » est du joual picouille, car on n'y retrouve ni le *m* de « me » ni le *v* de « voir ».

« *Mon boss veut mouère* » est du joual de trait ; on y perçoit le *m* du
65 « me » que l'on escamote.

Dans le langage populaire, on dira chez nous *souère* pour « soir », *avouère* pour « avoir » et « *mouchouère* » pour « mouchoir ». On dira aussi *Françouèse* pour « Françoise ». D'aucuns prétendent que c'est là la vieille prononciation française de l'époque de Louis XIV. Je parle,
70 bien sûr, du joual de parade et non de la prononciation picouille. Mais Louis XIV est mort depuis longtemps...

Mon boss veut nouère... Cela est marmonné entre les dents de façon précipitée, avec une légère accentuation sur le « eu » et sur le *n*, comme si ces lettres étaient liées entre elles pour former un autre son, qui
75 remplacerait le « me » de « me voir ». Et l'on entend *veunouère*.

Personne au monde, à part un Québécois de souche et pure laine, ne peut comprendre un tel marmonnage, surtout pas un Français. et encore moins une personne de nationalité étrangère ayant appris LE français. On n'est pas loin du créole dont les Haïtiens ont fait une
80 langue officielle.

Le frère Untel faisait remarquer autrefois, dans ses *Insolences,* que sur 20 élèves à qui on demandait, au début d'une année scolaire : « Comment t'appelles-tu ? » il ne s'en trouvait pas plus de 2 ou 3 dont on pouvait saisir le nom du premier coup. Il ajoutait, avec humour —
85 c'était en d'autres temps et en d'autres mœurs : « Ils disent leur nom comme on avoue un péché d'impureté. » Les étudiants — et les Québécois en général — ont perdu la notion de péché, d'impureté ou autre, mais ils n'ont pas pour autant trouvé celle d'un parler convenable et compréhensible. J'allais écrire : civilisé.

Fernand DUMONT
(1927-1997)

CULTURE

L'avenir d'une culture

Raisons communes
1997

1   Une personne a un avenir en se donnant des projets ; mais cela lui serait impossible sans le sentiment de son identité, sans son aptitude à attribuer un sens à son passé. Il n'en va pas autrement pour les cultures. Elles ne sautaient affronter les aléas de l'histoire sans disposer d'une

5 conscience historique. Quand, dans son célèbre rapport, Durham prétendait que nous étions « un peuple sans histoire », il ne voulait évidemment pas dire que nous n'avions pas de passé ; il constatait que ce passé n'avait pas été haussé au niveau d'une conscience historique où un ensemble d'individus eussent pu reconnaître les lignes d'un

10 même destin, les repères d'une continuité collective. Nous avions un passé ; nous n'avions pas encore de mémoire historique. Par la suite, l'essor de notre littérature, les travaux de nos historiens, l'enseignement de l'histoire, les combats politiques et les développements idéologiques qu'ils ont entraînés ont fini par insinuer une mémoire

15 collective dans le corps social. Cette mémoire a souvent été vacillante dans bien des couches de la population ; elle a été trop dogmatique ou trop conventionnelle dans les classes instruites. Du moins, le fil n'en a jamais été perdu. Mais c'était une mémoire pour la société de jadis. Une collectivité doit remanier sa mémoire en fonction des conjonctures

20 qui surviennent ; on se souvient à partir des défis du présent, à moins que l'on se serve du passé comme alibi pour ne pas affronter l'avenir.

Au cours des années 1960, il me semble que nous avons été impuissants à rafraîchir notre conscience historique. Je ne mets pas en cause les recherches de nos historiens. Mais la mémoire collective n'existe pas que dans les livres d'histoire. Elle se trouve aussi plus au ras du sol, dans les traditions des familles et des mouvements sociaux, dans les discussions politiques. Or nous avons assisté à un débordement de rancœur envers le passé. À peu près tous nos gestes d'avant ont été récusés. Sans doute faut-il périodiquement dépoussiérer les statues et réviser les hauts faits enrobés de rhétorique. Il est des moments où une énergique psychanalyse fait grand bien à la mémoire des peuples autant qu'à celle des individus. À la condition qu'elle n'aboutisse pas à un constat généralisé de l'échec cultivé avec masochisme.

La Révolution tranquille est allée plus avant. Cette fois, la rupture a été consommée. Il a paru à nos élites que, pour concevoir des projets d'avenir, il ne suffisait pas d'un recommencement ; il a semblé qu'on devait apprivoiser l'avenir par le déni du passé. Difficile entreprise : comment une capacité de création adviendrait-elle à un peuple s'il est convaincu d'avance que ce qu'il a auparavant accompli est sans valeur ? Nous sommes donc redevenus, d'une certaine façon, « un peuple sans histoire ».

L'éducation scolaire y a contribué. Étrange pédagogie qui a privé de mémoire toute une génération. N'a-t-on pas supprimé l'enseignement obligatoire de l'histoire dans les écoles durant plusieurs années ? Ce que nul peuple en Occident n'avait pensé faire, nous y sommes parvenus. « Il faut, écrivait Paul-André Comeau, avoir discuté avec les stagiaires français de l'Office franco-québécois pour la jeunesse pour saisir l'ahurissement des étrangers lorsqu'ils découvrent l'inculture totale de leurs hôtes québécois au chapitre de l'histoire universelle, de l'histoire du Québec et du Canada [1]. » Je puis tendre un témoignage semblable à partir de ma pratique de l'enseignement : la méconnaissance de l'histoire, et pas seulement de celle du Québec, fait des étudiants, pourtant aussi intelligents et aussi avides de connaître que

---

1. Paul-André Comeau, « Avons-nous comme peuple la volonté de survivre ? », *L'Action nationale*, vol. LXXVIII, n° 9, novembre 1988, p. 836. *[NdA]*

55 ceux de n'importe quelle autre génération et de n'importe quel autre
    pays, des êtres sans prises dans l'aventure humaine. Gardons-nous de
    ramener cette carence à un simple défaut d'érudition dans la forma-
    tion de l'honnête homme. «Cette lacune majeure, soulignait encore
    Comeau, entraîne des conséquences catastrophiques lorsqu'on envi-
60 sage la socialisation politique de ces jeunes. L'absence de références
    historiques, l'ignorance des racines, l'indifférence au passé qui a struc-
    turé la collectivité d'ici, tout cela contribue à enlever tout sens au
    projet des uns, à la lutte des autres. La question nationale s'assimile
    vite à quelque entreprise folklorique. »

65   L'avenir ? Pour nous y engager avec résolution, nous devons nous
    refaire une mémoire. Il ne s'agit pas de distribuer à tout le monde
    Notre maître le passé du chanoine *[Lionel]* Groulx. La perte provisoire
    de la mémoire nous aura été peut-être bénéfique ; il est parfois d'heu-
    reuses amnésies. C'est d'une mémoire d'aujourd'hui que nous avons
70 besoin. Commençons par l'enseignement ; rendons à l'histoire, celle
    du vaste monde autant que celle du Québec, la place considérable qu'elle
    doit occuper dans la formation des jeunes afin qu'ils s'y retrouvent
    dans un univers particulièrement mouvant. Ces temps-ci, on discute
    beaucoup de *formation fondamentale,* effaré devant l'éparpillement de
75 connaissances qu'ingurgitent les jeunes sous la poussée d'aînés en mal
    d'encyclopédie. À tout prendre, pour être un citoyen, deux savoirs
    sont indispensables : la langue et l'histoire. Pouvoir exprimer ce que
    l'on ressent et ce que l'on pense, faire monter de ses actes la parole qui
    les prolonge ; être conscient de sa place dans le dévidoir du destin des
80 hommes et s'y engager en conséquence : est-il un autre idéal de
    l'humanisme et un autre accomplissement d'une culture ?

RELIGION

Suzanne JACOB
Née en 1943

DES IMAGES DE SYNTHÈSE

La bulle d'encre
1997

1   Selon le moment et le lieu où on entre dans l'histoire, on est initié
à des signes qu'on apprend à lire comme étant les signes de la cohésion
du monde. Ce qui fait que le monde tient ensemble et qu'il peut nous
tenir en lui, ce qui fait qu'il ne se morcelle pas, ne se désarticule pas, ne
5   se fragmente pas, ne se disloque pas mais reste constitué, est souvent
représenté par un visage.

Des milliers de Chinois défilent, le regard fixé sur la photo du
visage d'un homme. Au début de la vie, pour des millions de Chinois,
il y a l'obligation de tourner son visage vers ce visage, de fixer son
10 regard sur la photo omniprésente du visage d'un homme coiffé d'une
casquette [1], comme s'il y avait quelque chose à donner à ce visage sans
lecture, à cette image.

Des milliers de catholiques, dès le début de leur vie, ont appris à
tenir leur regard fixé sur le corps d'un homme presque nu cloué à une
15 croix. Chez les riches comme chez les plus démunis, pendu au mur de
chaque chambre, de chaque salle, le corps d'un homme presque nu. Le
même corps grandeur nature crucifié dans toutes les églises, crucifié à
la croisée des chemins. Le même corps miniaturisé cloué sur la croix
des médailles, des chaînettes, des chapelets, sur lequel on apprend à

---

1. Référence à Mao Zedong (1893-1976) qui a instauré un régime communiste rigide, la République populaire de Chine, marqué notamment par la désastreuse Révolution culturelle en 1965-
1968.

20 tenir son regard fixé, comme s'il y avait quelque chose à attendre de lui
ou à lui donner.

Depuis près d'un demi-siècle, ce vers quoi on demande à des milliers de nouveau-nés de tourner leur regard et de le tenir fixé, c'est un
écran. Il y a des écrans dans toutes les pièces, à tous les étages, dans
25 tous les recoins. Pour ceux qui viennent d'arriver, l'écran est le visage
omniprésent qu'ils doivent regarder, contempler, scruter, comme s'il y
avait quelque chose à attendre de lui ou à lui donner. L'écran est non
seulement un visage qui ne nous lit pas, vers lequel nos regards restent
indéfiniment tournés, mais il est aussi un son ininterrompu qui se
30 confond avec le récit du lait et avec tous les autres récits.

Ces trois images — un visage à casquette, un corps presque nu, un
écran — sont les symboles de ce qui assurait ou de ce qui assure le
maintien de trois mondes dans une cohérence. Elles ne sont pas la
cohérence. Elles ne sont pas l'image de la cohérence. Elles ne sont pas
35 ce qui crée la cohérence. Elles en sont le signe. Elles résument, elles
synthétisent ce par quoi la cohérence tente de se maintenir dans
chacun de ces mondes, la première par la révolution permanente, la
seconde par le don, la troisième par le spectacle. Des générations suc-
cessives vont contempler ces représentations de ce qui fait tenir le
40 monde ensemble, vont les regarder, les scruter, les méditer, les adorer,
les entourer de rituels de fête et de rituels de deuil, les *lire,* et ce, pendant des siècles, sans les épuiser. Ce n'est que lorsque la cohérence
qu'ils représentent se rompt que les regards se détournent, un à un,
mais aussi par centaines, puis par milliers. Le signe devient rapide-
45 ment illisible, indéchiffrable. Il n'a plus que son sens littéral : c'est le
visage rougeaud d'un homme dans la quarantaine qui porte une
casquette ; c'est le corps d'un homme presque nu crucifié sur une
croix ; c'est un écran de verre emboîté dans un cadre. Les siècles se
succèdent. On a beaucoup à faire avec les inondations, les invasions,
50 les génocides, la disparition de la couche d'ozone. Un jour, en faisant
des fouilles, on retrouve cet homme presque nu, ce visage rougeaud,
cet écran à des milliers d'exemplaires, comme on a retrouvé en Égypte
l'image omniprésente d'une femme portant sur la tête une plume
d'autruche. Il a fallu le long et patient travail d'égyptologues passionnés

55   pour parvenir à sortir la Maât du sens littéral où la rupture d'un
      monde l'avait ensevelie et pour en reconstituer le sens symbolique —
      une idée d'un ordre, la cohérence, la justice. Il faudra un long et
      patient travail — mais on ne sait pas de quel nom s'appelleront les
      passionnés qui le feront — pour retrouver le sens symbolique de ce
60   visage rougeaud, de cet homme presque nu, de cet écran dont le verre
      aura peut-être disparu.

P. J. Brooks, *L'adoration*, 2006.

Bernard ARCAND
Né en 1945

et Serge BOUCHARD
Né en 1947

POLITIQUE

DE LA FIN DU MÂLE

De la fin du mâle, de l'emballage
et autres lieux communs
2004

Bernard Arcand

Tout au début de notre histoire, les mâles furent inventés parce
qu'il n'y avait pas de garderies. Puisqu'il fallait prendre soin des jeunes
enfants et qu'il paraissait plus facile de confier cette tâche aux femmes,
5 il devint inévitable que les hommes reçoivent en contrepartie la responsabilité d'aller chercher de la viande. C'est ainsi que ces hommes,
qui partaient pour la chasse, apprirent par expérience à s'entraider et
à collaborer de manière à rendre la chasse efficace et donc essentielle à
la survie du groupe. Les chasseurs sachant chasser ensemble étant
10 devenus des compagnons et des copains, c'est très probablement au
paléolithique que furent inventées les toutes premières histoires de
gars au sujet des filles.

Plus déterminant encore pour le reste de l'histoire, les chasseurs
dont les outils de travail étaient fort dangereux se mirent corps et âme
15 à la fabrication d'armes. Ils lançaient là une mode qui ne s'est jamais
démentie depuis. Génération de mâles après génération de mâles,
dans une suite ininterrompue de pères plus forts que le tien, chaque
époque peut se vanter d'avoir inventé quelques nouvelles armes plus
tranchantes, coupantes, piquantes ou glorieusement explosives. Et
20 comme l'outil n'est qu'une extension du corps humain, les mâles progressivement se transformèrent eux-mêmes en magnifiques machines
à tuer. Des hommes armés, bons chasseurs, excellents soldats et forcément, parfois, brutes inquiétantes.

Il se peut que nous arrivions aujourd'hui au terme de cette longue
25 évolution. D'une part, nous atteignons ce qui doit bien être la limite
du mâle. Pensez seulement aux pilotes d'avions modernes qui, pour
poser leur appareil sur un porte-avion dans une mer houleuse,
doivent arrêter vingt tonnes de fer qui arrivent à bonne vitesse sur une
surface d'à peine soixante-cinq mètres ; pensez aussi que ces pilotes
30 portent un habit spécial qui leur serre le corps dans le but d'éviter que
le sang ne se vide de la tête vers les jambes à l'instant du décollage,
quand l'avion passe de zéro à quatre-vingt-dix kilomètres à l'heure en
trois secondes. On a beau avoir le sang froid, ça commence à sentir la
limite.

35 D'autre part, il n'est pas impensable que nous ayons, dans l'avenir,
moins besoin de porte-avions que de porteurs d'armes. La chasse s'est
transformée en sport de loisir, la paix sociale fait malgré tout quelques
progrès et, surtout, nous aurons bientôt suffisamment de garderies et
beaucoup moins d'enfants.

40 **Serge Bouchard**
À celui qui lui demandait ce
qu'il pensait des femmes, le grand
comédien italien Vittorio Gassman
fit cette réponse impressionnante.
45 La femme est supérieure à l'homme.
D'abord, elle est plus belle, sa peau
est bien plus douce et c'est un
grand bonheur que de la caresser.
Ensuite, elle est plus forte sous le
50 rapport de la santé générale comme

POLITIQUE

sous celui de la durée. Elle vit et survit plus longtemps. Autrement dit,
elle est bien faite, elle est mieux faite. Et puis, ce qui n'est pas rien, elle
est plus courageuse, plus déterminée à aborder le monde par la face
non cachée des choses. Elle sait faire front sans fanfaronnade. Finale-
55 ment, elle est plus digne, plus soucieuse de sa tenue dans les moments
graves et ultimes. En somme, la femme a tout pour elle en ce qu'elle

représente authentiquement ce que la vie a fait de plus remarquable et de plus beau.

Il reste à l'homme bien peu de choses, hormis sa force physique naturelle, son goût pour la bravade et son penchant pour la menterie et les fables. À l'entraînement depuis des millénaires dans le registre du mensonge, cet incorrigible raconteur cultive toutes les ressources de l'imaginaire et il n'est jamais aussi heureux que devant un public qui apprécie ses histoires incroyables.

Mais voilà bien le problème : ses fables ont la manie d'émerveiller et, malgré toutes leurs qualités, les femmes ont toujours la faiblesse de les écouter, de s'y laisser prendre. D'où un immense malentendu, vous en conviendrez. Il n'est rien de plus dangereux que de prendre un homme au sérieux. C'est parce qu'il ne tient jamais sa parole qu'il parle si bien. Il n'est rien de pire que l'homme qui croit en ses propres menteries et qui s'attelle avec sérieux à la tâche de les imposer à autrui.

La conclusion s'impose d'elle-même. L'homme ne faisant pas le poids devant la femme, tous les pouvoirs sociaux devraient se concentrer dans les mains de cette dernière. Par elle et pour elle, l'homme deviendrait légalement un objet de plaisir, pour le cœur, pour l'oreille et pour le reste. L'humanisme mâle n'ayant guère amélioré la bête méchante et légendaire que sera toujours l'homme, que la femme prenne la relève. Elle ne peut pas faire pire. Tout le malheur de la planète vient du fait que sa mise en valeur fut ou bien réalisée ou bien appropriée par le mauvais genre. L'histoire générale des civilisations serait peut-être moins gênante si les femmes ne l'avaient laissée aux mains de ces irresponsables mâles qui ne pensent qu'à se chamailler. Laissez le monde aux hommes, ils vous le détruiront à coups d'actions d'éclat, dans le temps de le dire, sans penser au lendemain.

Il n'est pas de fumée sans feu, il n'est pas de sourire sans sérieux. Si Gassman nous amuse, c'est qu'il aborde un insoutenable contentieux. La masculinité et la féminité sont deux principes mal aisés à marier.

L'homme est pour la femme une perpétuelle engeance. L'univers est aussi vrai. À la longue, les uns et les autres se marchent sur les pieds, les uns et les autres se tombent sur les nerfs, et l'on se résigne. Les gens « plates » et sérieux, les superficiels et les excités d'aujourd'hui croient que l'affaire est résolue par une déclaration de principe. Nous serions tous mieux disposés du moment que nous savons. Mais les hommes et les femmes du monde entier savent, en revanche, que ce problème ne sera jamais réglé.

95   Nous ne sommes pas sortis du bois, en effet, mais qui donc veut réellement en sortir ? Le mâle est un éclair et la femelle un feu ; dommage que les deux s'attirent à ce point et créent constamment des liens d'amour et d'amitié. Sans ces amours douloureuses, tout serait clair. Une moitié mâle du monde vivrait sous le coup de la foudre, men-
100   songe dérisoire qui déchirerait le temps d'une seconde des pans entiers d'obscurité. Dans l'autre moitié, des feux femelles brûleraient en permanence, mais pour rien, dans un univers inondé de lumière.

Autrement dit, ce n'est pas juste mais c'est la dure vérité. L'exis-
105   tence du mâle met en relief la force de la femelle, alors que l'être de la femme souligne le caractère dérisoire du premier. Les lendemains du mâle ne chantent jamais. Car de toute façon, il ne les a jamais vraiment envisagés.

Vittorio Gassman et Geraldine Brook dans le film
J'étais une pêcheresse, de Giorgio Pastina, 1949.

Pierre FOGLIA
Né en 1940

LA FÉMINITÉ INOUÏE

La Presse
7 mai 2005

1   À la radio de l'auto, on parlait de la fille de la page 4 de notre
journal, c'était mardi, je crois. En arrivant à la maison, je suis allé voir
la page 4. Jolie fille en soutien-gorge et culotte *d'un rose tendre d'une
féminité inouïe,* précisait la légende de cette publicité du magasin
5 Simons.

Plus tôt dans la journée, j'avais lu l'article de la page 4 sur le conflit
presque réglé au *Journal de Montréal,* et forcément j'avais eu le nez sur
cette annonce, qui s'étire sur les deux tiers de la page. J'ai forcément
vu cette fille, mais de toute évidence sans la voir puisque je ne m'en
10 souvenais plus. Est-ce possible que, la première fois, mon œil n'ait pas
enregistré sa *féminité inouïe*?

Est-ce possible que ce genre d'image se fonde dans un paysage si
familier que l'œil glisse dessus sans plus s'y accrocher qu'au papier
peint de la salle à manger? Que sa féminité *inouïe* soit complètement
15 laminée par la répétition, par l'habitude, par le cliché? Est-ce possible
que ce ne soit que cela : un cliché?

Est-ce possible que les matantes qui ont dénoncé toute la semaine
l'image de la fâmme dans la publicité, est-ce possible qu'elles confondent
cliché et modèle? Elles étaient quatre tout énervées l'autre soir au
20 *Point.* Outre une comédienne, il y avait là une dame qui semblait en avoir
contre la chirurgie esthétique, il y avait aussi un psy-de-média et, pour
mener le débat, Dominique Poirier, aussi bonne animatrice que

d'habitude sauf qu'elle n'était pas, ce soir-là, au service de l'information mais au service de la Fâmme. S'en est-elle seulement rendu compte ?

25   Sujet du débat : l'image de la femme dans la publicité. La plus tarte à la crème des tartes à la crème du féminisme de grand-maman, je veux dire avant que le féminisme lâche la guerre des sexes pour se centrer sur le pouvoir économique, c'était il y a 40 ans. Personne en 2005, sauf les matantes, personne ne croit que la fille qu'on voit dans les
30 annonces de char, de lingerie ou de yogourt est un fantasme masculin. C'est le fantasme de tout le monde, universel, inaltérable, inoxydable, et de toute éternité. Dans 5 000 ans, quand on aura vaincu la pauvreté, le cancer, le sida, qu'on aura reprisé les trous dans le ciel, la femme qui annonce de la lingerie en page 4 sera encore grande, blonde, mince et
35 jeune.

     Et voilà que mardi soir, quatre matantes débarquent à la télé et nous disent sans rire : on va changer ça. Si au moins elles étaient arrivées sur la pointe des pieds : écoutez, on sait que ce n'est pas neuf, que tout le monde a déjà dénoncé la chose, mais on voudrait essayer
40 encore, on a une idée... Mais non. Ta-dam ! Oyez, oyez, citoyens on vient de découvrir l'Amérique et on va vous dire comment y aller. Zéro contexte historique. Zéro modestie. Zéro réserve. Zéro idée. La vraie tarte à la crème, double crème. Oyez, oyez, l'image de la fâmme dans la publicité, ça n'a plus de bon sens, faut faire quéq'chose. Elles
45 ne disent pas quoi, mais on les voit venir, regardez-les bien tenter de remplacer la grande blonde de la page 4 par une petite grosse.

     Si j'étais dans la pub, je les prendrais sur le *fly*. D'accord, mesdames, emballé c'est pesé, une toutounette dans la cinquantaine pour annoncer ma lingerie. C'est pour le coup qu'on se rappellerait la fille
50 de la page 4 quand y en parleraient à la radio. Ah ! oui, celle avec des cheveux gris ? Si j'étais dans la pub, je le ferais, pas pour niaiser, parce que c'est effectivement une bonne idée, un bon *stunt*.

     « J'ai dit à mon fils — c'est la comédienne qui raconte — j'ai dit à mon fils, ces femmes que tu vois dans les pubs, elles ne sont pas vraies,
55 tu m'entends, la preuve qu'elles n'existent pas, Foglia ne les voit pas. » Non, elle n'a pas dit ça. Elle aurait dû. Bref, on envie ce jeune homme d'avoir une maman aussi allumée. Un coup parti, la maman aurait dû

dire à son garçon que, dans ces mêmes pubs, les chars, le yogourt et la lingerie qu'annoncent ces filles ne sont pas vrais non plus. Il n'y a rien
60 de vrai dans une pub. D'ailleurs, la petite grosse avec des cheveux gris qui va remplacer la grande blonde à la page 4, la petite grosse non plus n'est pas vraie dans sa toutounerie... Elle suit un régime de pample-mousse et graines de lin, elle va au gym trois fois par semaine et si ça suffit pas elle prendra les grands moyens, elle se fera brocher
65 l'estomac.

De l'image de la femme qui n'est pas une vraie femme dans la pub, la tendance, ces jours-ci, est de glisser vers la sexualité débridée des préadolescentes. Je ne vois pas le rapport entre ce qui me semble être un phénomène relativement récent beaucoup lié à Internet et l'image
70 de la femme qui est de toute éternité.

Je vous demande ça comme ça : une petite fille de 12 ans qui fait une fellation à un garçon de 13 ans, est-ce si monstrueux ? Pourquoi pensez-vous immédiatement porno et violence, plutôt que jeux et découverte ? Et si c'était juste une nouvelle façon de jouer au docteur ?
75 Vous n'avez jamais joué au docteur ? Il n'y avait pas toutes ces mala-dies, c'est vrai. Il faudrait leur dire, pour les maladies. Il va falloir le leur dire à 15 ans de toute façon, un peu plus tôt, un peu plus tard. Il faudrait leur dire aussi pour le sexe et l'amour, que c'est pas pareil, mais ça changera rien, y en a plein qui ne l'apprendront jamais de
80 toute façon.

À la télé ce soir-là, le psy s'énervait beaucoup d'une statistique qui révèle que, dans ces jeux sexuels, les petites grosses sont plus actives que les autres. Je ne sais pas où il a été élevé, mais ça aussi, c'est de toute éternité. La nouveauté, c'est l'âge où elles commencent. Pour le
85 reste, c'est une vieille statistique. Les filles qui pognent moins sont moins difficiles, c'est bien connu, en tout cas c'est bien connu des gars qui... pognent moins. Moins difficiles, donc plus actives que les autres, surtout dans leur prime jeunesse, elles mettent les bouchées doubles, si j'ose dire, devinant qu'elles seront moins sollicitées en vieillissant.

90 Et je vous ferai remarquer que j'ai même pas de doctorat en psy-chologie.

Pour revenir à l'image de la femme si uniformément sexy, je la trouve de moins en moins sexée. On ne voit plus le sexe de la femme que déformé par la pornographie ou clandestin dans les machins de 95 satin. Voyez, moi, si j'avais à annoncer de la lingerie, je ne montrerais pas une femme la portant. Je montrerais *L'origine du monde*, de Gustave Courbet [1], *cette touffe de noir Jésus*, disait Ferré [2], d'où part cette division d'une *féminité inouïe*.

William Bouguereau,
La naissance de Vénus, 1879.

1. Gustave Courbet (1819-1877) a peint ce tableau jugé « scandaleux » en 1866.
2. Référence à la chanson *C'est extra*, écrite en 1969 par Léo Ferré (1916-1993), auteur-compositeur-interprète français.

LES ESSAIS

DE MICHEL SEI-
GNEVR DE MONTAIGNE.

EDITION NOVVELLE, TROVVEE APRES
le deceds de l'Autheur, reueuë & augmentée par luy d'vn
tiers plus qu'aux precedentes Impreßions.

A PARIS,

Couverture de l'édition posthume des *Essais*
de Michel de Montaigne, 1595.

PRÉSENTATION
DE L'ŒUVRE

LES

ESSAIS

I-

PRES

A PARIS,
Chez ABEL L'ANGELIER, au premier pilier
de la grande salle du Palais.
CI). I). XCV.
AVEC PRIVILEGE.

> *L'essai, c'est « l'étrange passion de dire notre vie,*
> *comme cela, sur-le-champ et entièrement ».*
>
> Ernst Bloch, *Traces* (1930)

RETOUR AUX SOURCES : NAISSANCE ET FORTUNE DU GENRE

Parmi les genres littéraires, l'essai est celui qui se démarque le plus… par son hétérogénéité. Il peut être historique, scientifique, sociologique ou littéraire : il semble vouloir ainsi se décliner à l'infini. Il est rassurant de penser que sa paternité a été attribuée à un écrivain humaniste français du XVIe siècle, Michel Eyquem de Montaigne (1533-1592). Avec la parution de ses *Essais* en 1580, puis en 1588, il pose les balises du genre. Homme de la Renaissance, l'auteur s'était donné pour seule devise la célèbre question « Que sais-je ?[1] » qui poussait alors écrivains, artistes et savants à dresser l'inventaire du monde et de ses connaissances. Son « je » si caractéristique de l'essai ne renvoie donc pas seulement à sa petite personne, mais englobe volontairement l'ensemble des être humains. « Qui se connaît, connaît aussi les autres, car chaque homme porte la forme entière de l'humaine condition », conclut-il au deuxième chapitre du Livre III. Le projet qu'il se forme alors trouve encore écho de nos jours. Toutefois, nous nous plaisons aujourd'hui à croire que c'est l'univers au contraire qui devrait obéir aux quatre volontés de notre « je ». Notre époque n'a-t-elle pas été surnommée celle de l'*ego.com* ?

Pourtant, Montaigne ne voyait pas d'un mauvais œil d'être « la propre matière » de son livre. Dans son « Avertissement au lecteur », il précise d'emblée le souci de réalisme avec lequel il aborde ses *Essais* : « Je veux qu'on m'y voie en ma façon simple, naturelle et ordinaire, sans contention et artifice : car c'est moi que je peins. » Devenir l'objet de ses pensées était chose rare pour un écrivain du XVIe siècle. Jusque-là et depuis l'Antiquité, les poètes croyaient au pouvoir de l'inspiration

---

1. Les petits livres colorés de la collection encyclopédique « Que sais-je ? », fondée en 1941 aux Presses Universitaires de France, ont été ainsi nommés en son honneur.

divine, incarnée par les Muses. Or, Montaigne, dans son œuvre, fait littéralement table rase de cette pensée magique : « Je propose les fantaisies humaines et miennes, simplement comme humaines fantaisies, et séparément considérées, non comme arrêtées et réglées par l'ordonnance céleste, incapable de doute et d'altercation. Matière d'opinion, non matière de foi. » (Livre I, chapitre 56) Ainsi, dans les trois volumes de ses *Essais*, il traite brièvement d'une multitude de sujets épars. Il dissèque, toujours selon son point de vue et avec une égale aisance, autant le sentiment de tristesse ou de peur que les citations de César ou les vers de Virgile. Montaigne réclame justement ce droit à l'improvisation : « J'aime l'allure poétique, à sauts et à gambades. » (Livre III, chapitre 9) Cet esprit vagabond deviendra en quelque sorte la marque de commerce de l'essai, même contemporain. Le lecteur suit donc le cheminement des pensées de l'auteur, à bâtons rompus, telles qu'elles surgissent dans les méandres de sa raison. Plus que jamais, ce genre lie intimement les deux parties du pacte de lecture. Seul le texte, imprimé sur papier, leur sert d'intermédiaire, car l'un est directement branché sur les idées de l'autre. Cette errance se veut également spontanée. Montaigne insiste d'ailleurs sur la modestie qui prédomine dans son vaste projet :

> Ce sont ici mes humeurs et mes opinions ; je les donne pour ce qui est en ma croyance, non pour ce qui est à croire ; je ne vise ici qu'à découvrir moi-même qui serait autre demain si un nouvel apprentissage me changeait. (Livre I, chapitre 25)

Ici, la visée de l'auteur est sans équivoque : il cherche surtout à informer plutôt qu'à argumenter. Il lui plaît tout simplement de « dévoiler » ce qu'il pense pour le bénéfice de ses lecteurs, sans pour autant chercher à les convaincre. Par l'écriture, l'auteur des *Essais* donne voix à ses idées : plus il écrit, plus il se connaît. Michel de Montaigne, avant Descartes, aurait pu clamer : « J'écris, donc je pense ! » et vice versa.

Parus en pleine Renaissance, *Les essais* témoignent d'un sincère attachement aux enseignements de l'Antiquité. L'inscription gravée sur le temple d'Apollon à Delphes « Connais-toi toi-même », souvent attribuée à Socrate lui-même, pourrait fort bien avoir servi de leit-motiv à Montaigne. D'ailleurs, toute son œuvre se fonde sur des genres en vogue dans l'Antiquité grecque ; soit la lettre (*Les lettres à Lucilius* de Sénèque), le dialogue (*Le banquet* et *La république* de Platon) et même l'épître, abondamment illustrée dans la Bible notamment. Il se serait d'ailleurs beaucoup inspiré du style des *Œuvres morales* de Plutarque (46-120). Les cent sept chapitres qui constituent ses *Essais* rappellent le ton et le désordre de l'auteur grec. Comme le mentionne le philosophe anglais Francis Bacon dans la préface de ses *Essais de morale et de politique* (1597), « le mot *essai* est récent, mais la chose est ancienne ». Déjà en 1534, le décapant humaniste François Rabelais s'amusait à parodier dans son *Gargantua* les titres plutôt ronflants des ouvrages philosophiques latins qui débutaient presque tous par « De ». S'il se retrouvait aujourd'hui dans un repas de cabane à sucre typiquement québécois, il pourrait sans doute tirer un bref essai de cette expérience qu'il intitulerait d'un ton déclamatoire : *De la soupe aux pois avec commentaire*[1]. La tradition antique se poursuivra pourtant jusqu'au XVIIIᵉ siècle en France, perpétuée entre autres par Montesquieu avec *De l'esprit des lois*, paru en 1748. Berceau de la modernité, le siècle des Lumières s'abreuve ni plus ni moins au genre de l'essai. Ce dernier dessert les thèmes chers aux philosophes : justice, liberté, égalité et éducation. Les idées de Voltaire, Diderot et Rousseau ont pris racine sur papier avant de s'actualiser concrètement dans la société, favorisant ainsi son évolution. Par contre, il faut éviter de tomber dans le piège que l'essai peut tendre — même au lecteur d'aujourd'hui — c'est-à-dire le considérer comme une vérité profonde :

> Il y a sans doute le goût du public pour l'autobiographie, dont certains essais sont proches, mais aussi la volonté de trouver des réponses aux problèmes existentiels que se pose tout un chacun. Cela permettrait d'ailleurs d'expliquer le succès actuel des essais, dans une période qualifiée de « post-moderne », où l'absence de repères sûrs et d'idéologies cohérentes justifie la

---

1. Allusion au chapitre XIII intitulé ironiquement « Des pois au lard *cum commento* ». Dans le lexique rabelaisien, ce titre apparaît comme une satire sexuelle.

quête de nouvelles réponses, voire de nouveaux maîtres à penser. Ce serait d'ailleurs le risque contemporain de l'essai : être perçu comme un lieu de réponse alors qu'il n'est qu'un moment de questionnement[1].

À l'origine donc, suivant le chemin tracé par Montaigne, l'essayiste se contente de proposer ses idées seulement, non de les imposer, comme l'indique le sens étymologique du terme « essai », fort humble par ailleurs.

ESSAIS DE DÉFINITION

Par le choix du titre de son œuvre, Montaigne, à la fin du XVIe siècle, a lancé sans le savoir une mode littéraire. Pourtant, il ne faisait que refléter « en miroir » l'ensemble de son projet. « Enfin, toute cette fricassée que je barbouille ici n'est qu'un registre des essais de ma vie » (Livre III, chapitre 13), souffle-t-il dans son dernier chapitre, comme pour mieux faire saisir le sens de sa démarche. « Essai » peut donc se lire effectivement comme un « test », une « tentative », et même comme un « coup d'essai », expression relevant ironiquement du domaine sportif. Pourquoi pas des coups d'essai de la *pensée* ? Les termes latins *exagium* et *exigere* desquels « essai » tire son origine renvoient à une réalité bien simple : mesurer et peser. Comme la figure allégorique de la Justice représentant une noble dame toute drapée de blanc et tenant une balance, l'essayiste écrit pour soupeser le pour et le contre, à la manière d'un appareil de mesure. Il écrit ses pensées pour les « juger », examiner le poids de ses arguments, et ce, le plus naturellement du monde. Pourtant, l'essai a paradoxalement la même racine que le mot *essaim*, qui signifie « emmener hors de ». Comme le précise André Belleau, « l'essai n'est pas une pesée, une évaluation des idées ; c'est un essaim d'idées-mots[2] » qui jaillit littéralement hors de soi par l'écriture. Cette explication confère à la définition de l'essai une qualité bien plus personnelle, bien plus caractéristique du « je », et

---

1. Marc Lits, *L'essai*, Bruxelles, Didier Hatier, coll. « Séquences », 1994.
2. André Belleau, *Surprendre les voix*, Montréal, Boréal, coll. « Papiers collés », 1986, p. 88.

rejoint également la visée de Montaigne qui considérait son œuvre comme une « marqueterie mal jointe » (Livre III, chapitre 9). D'ailleurs, Hugo Friedrich est catégorique à ce propos, l'essai n'est pas une catégorie littéraire, c'est plutôt une méthode [1], une façon de présenter ses diverses opinions.

Longtemps l'essai a été cloisonné dans la littérature d'idées. Ce n'est ni de la poésie, ni du théâtre, ni un roman… c'est tout le reste peut-être ? Il est vrai que la seule caractéristique commune qu'on puisse lui trouver, c'est l'étiquette de « non-fiction ». Si le « genre » souffre d'une absence de définition, c'est que souvent celle-ci est trop vaste pour signifier quoi que ce soit. L'écrivain Aldous Huxley, auteur du classique de science-fiction *Le meilleur des mondes* (1931), définit en ce sens l'essai, non sans une pointe d'ironie : « *a literary device for saying almost everything about anything* », c'est-à-dire « un procédé littéraire pour dire à peu près tout sur n'importe quoi [2] ». Le champ d'investigation semble infini, pour ainsi dire. En fait, dès qu'un écrivain prend la parole par écrit sur un sujet quelconque, on qualifie son œuvre d'« essai ». Dans le commerce du livre, le mot semble populaire, voire vendeur. Le titre du controversé *Essai sur les essais* de Michel Butor, paru chez Gallimard en 1968, met en évidence, avec un humour certain, à quel point on a abusé du terme. S'il n'apparaît pas dans le titre même, on l'ajoute bien visiblement en sous-titre. Il semble *rassembler* nombre de documents épars aussi différents les uns que les autres : « Aujourd'hui, l'essai joue le rôle qu'a pu jouer le roman à ses origines — comme genre fédérateur des exclus des "grands genres", genre "fourre-tout", par défaut [3]. » Ainsi, suivant ce raisonnement, tout ce qui n'est pas fiction serait essai ? En fait, même les opinions du romancier interviennent dans son œuvre de fiction, souvent par l'intermédiaire d'un personnage en particulier. L'essayiste,

---

1. Hugo Friedrich, *Montaigne*, Paris, Gallimard, 1968.
2. Cité et traduit par Pierre Glaudes et Jean-François Louette, *L'essai*, Paris, Hachette, coll. « Contours littéraires », 1999, p. 3. Pour eux, l'essai peut se définir plus simplement comme de la « prose non fictionnelle à visée argumentative ».
3. Dominique Combe, *Les genres littéraires*, Paris, Hachette supérieur, coll. « Contours littéraires », 1992, p. 16.

au contraire, ne se cache pas derrière une œuvre d'imagination pour véhiculer ses idées, il les assume littéralement en son nom et l'emploi du « je » porte la trace de cette volonté. C'est pourquoi, après Montaigne, la marque distinctive de l'essai sera bel et bien l'argumentation. L'auteur doit soutenir un point de vue et viser à convaincre son lecteur par la structure et la pertinence de ses illustrations et de ses explications. L'essayiste, en l'occurrence, ne prétend pas traiter un thème avec exhaustivité. Il en dessine le pourtour : il parle du sujet mais sans l'épuiser. Il suggère des pistes de réflexion, il ne les prescrit pas. « Essayer », c'est surtout prendre la parole, sur un sujet tant trivial que sublime : du *banal* au *crucial* ou encore de la *bagatelle* à l'*essentiel*. Parler de ses opinions veut dire également adopter un ton de confidence, établir un rapport privilégié avec son lecteur. Celui-ci devient l'assistant de l'auteur. Le lecteur en effet tient compagnie à l'essayiste de sorte qu'il suit le cheminement de sa pensée, telle qu'elle se présente à une époque précise, au moment de la rédaction. Cette lecture est à ce point intime que le lecteur fusionne le « je » de l'auteur au sien propre. En ce sens, il est tout de même exigeant dans cette relation très personnelle. Il demande à l'auteur deux qualités : l'intelligence et l'humour. Si les élucubrations de celui qui se confie ne sont pas dignes d'intérêt, le lecteur s'en détourne vite. De là la nécessité de l'éloquence. Le critique littéraire Gérard Genette constate notamment l'étonnant pouvoir du style d'un auteur : « Il n'y a pas plus de discours sans style que de style sans discours : le style est l'aspect du discours, quel qu'il soit, et l'absence d'aspect est une notion vide de sens [1]. » Donc, on ne peut pas croire que l'idée prime sur le style dans l'essai. Tout auteur doit avant tout chercher à séduire son public, tout comme l'orateur devant son auditoire. Le sens étymologique de la « séduction » renvoie justement à cette performance : *conduire par-dessous,* c'est-à-dire façonner tacitement l'opinion de l'autre, en l'instruisant mais surtout en lui plaisant. Que le style de l'auteur soit flamboyant, incisif, cynique ou caustique, peu importe, pour autant qu'il soit

---

1. Gérard Genette, *Fiction et diction*, Paris, Seuil, coll. « Poétique », 1991, p. 135.

apprécié du lecteur. Henri Meschonnic, dans *Pour la poétique*[1], relève six tonalités propres aux différents genres : poétique — lyrique — dramatique — comique — épique — didactique. L'essai appartient indéniablement à la dernière, car il « enseigne » de manière agréable. Et parce qu'il est le miroir de son temps et s'inscrit profondément dans une époque, il vieillit mal assurément. Du statut de « bombe incendiaire » lors de sa parution, il peut passer à celui de « vieille relique littéraire » à la génération suivante. Parce que l'essai informe avant tout, peut-être bien qu'il ne profite pas du caractère universel et intemporel du roman.

LES DIFFÉRENTS TYPES D'ESSAIS : UN GENRE CAMÉLÉON

> *On ne pense que par image.*
> *Si tu veux être philosophe, écris des romans.*
>
> Albert Camus

En France, l'essai a toujours marqué un net penchant pour la philosophie, alors que, au Québec, pendant longtemps il a surtout versé dans le journalisme. L'hétérogénéité du genre va plus loin encore. On regroupe parfois aujourd'hui sous cette appellation des livres d'histoire, des recherches en sciences humaines (sociologie, anthropologie, psychologie), en littérature, en philosophie, en histoire de l'art et en théologie. Même la biographie d'une star de la chanson ou du cinéma est considérée comme un essai dans les palmarès des librairies. L'essai ne se formalise pas de porter une multitude de noms : anthologie, dictionnaire, édition critique, mémoires, journal intime, correspondance, récit de voyage, etc. Son hybridité[2] est telle qu'il racole volontiers les « grands » genres littéraires. Il ne se contente pas de s'amalgamer au journalisme ou à la politique, il vise carrément le roman et la poésie.

---

1. Henri Meschonnic, *Pour la poétique*, Paris, Gallimard, 1970.
2. Jean-François Chassay, *Anthologie de l'essai au Québec depuis la Révolution tranquille*, Montréal, Boréal, 2003, p. 10.

Même si la prose le caractérise bien, l'essai écrit en bonne et due forme peut bien revêtir quelques atours poétiques [1]. Au contraire, dans *L'homme rapaillé* du poète québécois Gaston Miron, paru en 1970, c'est la poésie elle-même qui prend position. Elle parle à la fois au nom du poète et traduit non sans équivoque la difficile quête d'identité de la nation québécoise :

> Longtemps je n'ai su mon nom, et qui j'étais, que de l'extérieur. Mon nom est « Pea Soup ». Mon nom est « Pepsi ». Mon nom est « Marmelade ». Mon nom est « Frog ». Mon nom est « Damned Canuck ». Mon nom est « speak white ». Mon nom est « dish water ». Mon nom est « floor sweeper ». Mon nom est « bastard ». Mon nom est « cheap ». Mon nom est « sheep ». Mon nom… Mon nom… [2]

Chez Miron, la parole poétique est auréolée d'un dessein, d'une visée : la prise de conscience d'un homme-peuple brimé. La répétition du palindrome « mon nom » prend la forme d'une prière ou plutôt d'une litanie qui évoque intensément la souffrance, la torture même, chaque fois qu'il est prononcé. Inutile d'argumenter en poésie, les images parlent par elles seules. Rappelons que l'auteur souligne lui-même qu'il s'agit sans doute d'un « non-poème ». Dans son pamphlet poétique *Speak white*, Michèle Lalonde adopte un ton plutôt réquisitoire : elle l'a d'ailleurs récité devant un public ravi à la Nuit de la Poésie en 1968. À ses expressions-chocs qui définissent les Québécois comme un « peuple-concierge » — « nous sommes un peuple inculte et bègue » — « nous sommes un peuple peu brillant » — elle oppose la rigidité de la langue des conquérants (dans tous les sens du mot) avec leurs « mots matraques » et leurs « mots lacrymogènes ». Cette poésie dite « engagée » partage la finalité même de l'essai. Ce dernier se glisse également dans le roman, tout aussi furtivement. Alors qu'il est souvent considéré comme un genre hermétique, il

---

1. *Noces* d'Albert Camus en est un bon exemple (Paris, Gallimard, 1947), de même que *Chemin faisant* de Jacques Brault (Montréal, La Presse, 1975).
2. Gaston Miron, *L'homme rapaillé*, Les Presses de l'Université de Montréal, 1970, p. 127.

devient plus accessible lorsqu'il est « implanté » dans la fiction [1]. Dans
La Québécoite [2] de Régine Robin, les propos tenus au « je » de la narra-
trice, une juive ukrainienne de Paris installée pour un temps à Montréal,
portent la voix immigrante bien au-delà du cadre romanesque :

> Quelle angoisse certains après-midi — Québécité — québéci-
> tude — je suis autre. Je n'appartiens pas à ce Nous si fréquem-
> ment utilisé ici — Nous autres — Vous autres. Faut se parler.
> On est bien chez nous — une autre Histoire — L'incontour-
> nable étrangeté. Mes aïeux ne sont pas venus du Poitou ou de la
> Saintonge ni même de Paris, il y a bien longtemps. Ils ne sont
> pas arrivés avec Louis Hébert ni avec le régiment de Carignan –
> Mes aïeux n'ont pas de racines paysannes. Je n'ai pas d'ancêtres
> coureurs des bois affrontant le danger de lointains portages. Je
> ne sais pas très bien marcher en raquettes, je ne connais pas la
> recette du ragoût de pattes ni de la cipaille. Je n'ai jamais été
> catholique. Je ne m'appelle ni Tremblay, ni Gagnon. Même ma
> langue respire l'air d'un autre pays. Nous nous comprenons
> dans le malentendu. Je sors de l'auberge quand vous sortez
> du bois.

C'est la rencontre de Rimbaud et de Lionel Groulx. Il va sans dire,
hypothétiquement, que l'auteure se projette vraisemblablement dans
son récit. Le « je » et le « vous » résument à eux seuls toute relation
d'altérité. Tout comme Gaston Miron, Régine Robin aurait pu choisir
un autre « véhicule » littéraire pour transmettre ses sentiments. Or, ce
n'est pas tant l'essai, considéré comme un genre mineur, qui s'immisce
dans la cour des grands, c'est plutôt sa finalité — convaincre — qui
séduit tous les écrivains. Peu importe la courroie de transmission du
message, les vers du poème, les dialogues du théâtre ou la narration du
roman, la volonté même de l'écriture, c'est de partager des idées, des
sentiments. Toute production artistique même n'a-t-elle pas une
visée ? La confusion qui règne autour de l'essai et de sa définition lui
assure une certaine prospérité. Heureusement, nombre de chercheurs

---

1. Voir aussi *La mort vive* de Fernand Ouellette, Montréal, Quinze, 1980.
2. Régine Robin, *La Québécoite*, Montréal, Québec/Amérique, 1983.

et de spécialistes ont su apprivoiser la « bête ». Roland Barthes n'a-t-il pas lui-même désigné *simplement* l'essai comme « un roman sans noms propres [1] » ? Il convient dès lors d'examiner ses différentes formes limitrophes afin de cerner ses multiples mais authentiques *couleurs*.

Aux frontières de l'essai	
APOLOGUE	Brève histoire et morale en vers dont le but est de transmettre un message visant à instruire et à faire réfléchir le lecteur. Il est en quelque sorte la démonstration d'une maxime par un exemple. L'allégorie animale, comme dans les *Fables* de La Fontaine (1668-1693), reflète bien son esprit.
APHORISME	Formule-choc, très courte, exprimant un principe ou une règle morale, à l'exemple de « Tel père, tel fils ». Hippocrate forme les plus connus dans l'Antiquité, surtout dans le domaine de la médecine.
AUTO-BIOGRAPHIE	S'écrire soi-même : narrer les principaux événements de sa vie. Le « récit du moi » est un genre résolument moderne qui naît avec les *Confessions* de Jean-Jacques Rousseau (1764-1770). Contrairement aux mémoires, l'autobiographie s'attarde uniquement à l'histoire individuelle de son auteur.
CONTE PHILOSO-PHIQUE	Récit fictif mis au service des questions philosophiques. L'histoire ne devient qu'un prétexte de diffusion des idées d'un auteur sur un sujet précis. Genre prisé par les libertins, Diderot et Sade entre autres, il permet la vulgarisation d'idées morales, parfois scientifiques, moins accessibles au « grand public ». *Candide* de Voltaire en demeure encore aujourd'hui le chef-d'œuvre incontesté. Plus près de nous, Jean-Paul Sartre, Franz Kafka et Italo Calvino ont modernisé efficacement la forme du conte dit philosophique.

---

1. Cité par Laurent Mailhot dans *L'essai québécois depuis 1845*, Montréal, HMH, 1995, p. 16.

DIALOGUE	Au sens strict, il s'agit d'un échange de paroles entre deux personnages, parfois plus. On reconnaît à Platon l'invention du genre. Dans *Le banquet* et dans *La république*, le philosophe oppose des idées, les confrontent par la dialectique. Ce genre permet à l'auteur d'exposer ses vues et, en même temps, de soutenir l'effet contraire et de trouver des arguments péremptoires pour ridiculiser ou rendre futile la position contraire. Le lecteur doit ainsi choisir sa position, quelque peu influencé il est vrai par celle de l'auteur. Cela correspond en fait à la maïeutique de Socrate, cet art de faire accoucher les esprits de leurs idées, c'est-à-dire de faire penser le lecteur par lui-même. Cette forme sera ensuite privilégiée par les philosophes des Lumières, Diderot surtout, et le marquis de Sade (*Dialogue entre un prêtre et un moribond*). La popularité du dialogue alors tient lieu d'hommage à l'esprit de la conversation, si en vogue au XVIIIᵉ siècle. Fénelon (1651-1715), pour sa part, écrira plutôt des «dialogues de morts». Pour instruire son élève, le petit-fils de Louis XIV, il met en scène de grands personnages du passé, historiques ou fictifs. Ces derniers se rencontrent dans les Enfers pour discuter et confronter leurs idées. Cette variante connaîtra également le succès au siècle des Lumières.
DISCOURS	Allocution faite devant une assemblée, souvent à visée politique. Il devient sermon s'il entretient un sujet religieux. Écrit, il ressemble plus au traité qui aborde méthodiquement les différentes facettes d'un sujet. *Le discours de la méthode* de René Descartes (1637) constitue le modèle du genre.
ÉDITORIAL	De l'anglais *editor* qui signifie rédacteur en chef, l'éditorial est un article de journal (quotidien/hebdomadaire) ou de revue qui reflète les opinions de son auteur. La réputation de l'éditorialiste le précède souvent. Plus un journaliste est populaire, plus il a de chances de se voir confier par la direction sa propre chronique où il jouit d'une totale liberté.

LETTRE	Une lettre, par exemple une lettre ouverte, peut être écrite par un signataire à un destinataire, qui peut être aussi bien réel que fictif tant que sa valeur symbolique est reconnue. Elle est publiée comme telle dans un journal ou une revue. Par exemple, Albert Camus, après la Seconde Guerre mondiale, confie ses états d'âme dans les *Lettres à un ami allemand*. Cet ami imaginaire lui sert en fait de correspondant fictif afin de rendre compte de son opinion sur cette guerre.
MANIFESTE	Déclaration écrite, qui se veut publique, par laquelle un groupe politique ou littéraire expose son programme. Selon plusieurs, il est considéré comme une arme de combat symbolique. La *Défense et illustration de la langue française* (1549), signée par Joachim du Bellay, embrassait la pensée du groupe poétique de la Pléiade. Au Québec, en 1970, le très controversé *Manifeste du FLQ* a profité d'une audience considérable puisqu'il avait été télédiffusé. Comme ce fut le cas avec le *Refus global* (1948) au Québec et le *Manifeste du surréalisme* d'André Breton (1924) en France, la force d'impact du manifeste est proportionnelle aux revendications du groupe.
MAXIME	Du latin *maxima* : la plus grande des pensées. Formule-choc, très brève, qui propose une règle de vie, une vérité générale. C'est La Rochefoucauld au XVIIe siècle qui fait de cette pratique un genre littéraire. La maxime servait l'éloquence dans les salons mondains : « Comme c'est le caractère des grands esprits de faire entendre en peu de paroles beaucoup de choses, les petits esprits au contraire ont le don de beaucoup parler, et de ne rien dire. » (*Maximes*, 142)
PAMPHLET	Œuvre de combat visant par ses attaques quelqu'un de connu. La charge polémique est souvent agressive et cherche à provoquer le pouvoir en place, qu'il soit politique, culturel ou religieux. Le plus célèbre de l'histoire de France demeure celui d'Émile Zola, *J'accuse*, dans lequel l'écrivain prend position dans l'affaire Dreyfus. Au Québec,

	le plus connu des pamphlétaires dans le milieu journalistique, avec Arthur Buies, était sans nul doute Valdombre, pseudonyme de Claude Henri Grignon, l'auteur d'*Un homme et son péché*.
PARABOLE	Récit allégorique à visée morale et pédagogique. Dans *La Bible*, la parabole constitue le procédé fétiche de Jésus qui enseigne à ses disciples. D'autres, plus modernes, sont intégrées à un autre genre : narratif, avec *La ferme des animaux* de George Orwell (1945) notamment, ou encore dramatique, avec *Rhinocéros* de Ionesco (1959).
PRÉFACE	Texte placé au début d'un ouvrage et ayant pour fonction de le présenter au lecteur. Mais ce préambule dépasse souvent ce seul cadre. L'auteur, en effet, profite de l'intérêt de son lectorat pour y développer ses théories. Victor Hugo signe un véritable manifeste du drame romantique dans la préface de *Cromwell* (1827) — les premières pages devenant ainsi plus célèbres que la pièce même. Voir également la préface du *Tartuffe* de Molière et celle du roman *Le rouge et le noir* de Stendhal.
SOMME	Comme son nom l'indique bien, il s'agit de la somme des observations, des connaissances et des expériences d'un individu ou d'une collectivité. Les représentants incontournables du genre étant bien entendu *La somme théologique* de saint Thomas d'Aquin (1270) et l'*Encyclopédie* de Diderot et d'Alembert (1751-1772).
THÈSE	Proposition considérée comme vraie et qui est défendue par des arguments. Lorsqu'un auteur soutient une théorie particulière par l'entremise de la fiction, on précise alors qu'il a écrit une pièce ou un roman à thèse.
TRAITÉ	Texte de vulgarisation scientifique ayant pour cadre une recherche menée par un savant ou une équipe de chercheurs. Au contraire, de son côté, l'essayiste peut facilement explorer des sujets de tout ordre, même ceux qui ne relèvent pas de sa spécialité. Le traité a pour objectif d'interroger le sujet et de faire le tour de la question, alors

	que dans l'essai, on peut traiter d'une seule facette de l'objet d'étude sans prétendre à l'exhaustivité.
UTOPIE	Terme créé par le philosophe anglais Thomas More en 1516 et qui signifie « nulle part ». Il a donné naissance à un genre qui élabore des théories idéales rendues possibles par la création d'un pays imaginaire. L'abbaye de Thélème fondée par Rabelais (1535), la Nouvelle Atlantide de Francis Bacon (1627) et les Empires du Soleil et de la Lune de Cyrano de Bergerac (1657-1662) ont marqué l'histoire littéraire de l'utopie.

Les multiples visages de l'essai séduisent nombre d'écrivains. Tôt ou tard, chacun verse sans même y penser dans le genre, car l'essai, rappelons-le, offre une prise sur le réel. Par sa seule voix, l'essayiste (novice ou professionnel) traduit la réalité à la fois d'une époque, d'un lieu et d'une collectivité. Ce n'est pas un hasard si les lieux de diffusion de l'essai québécois décuplent à partir des années 1950. De la création des revues *Cité libre, Liberté, Situation* et *Parti pris* à la fondation de maisons d'édition qui se spécialiseront dans le genre (la collection « Constantes » chez Hurtubise HMH, « Essais littéraires » à l'Hexagone, « Papiers collés » chez Boréal), la littérature d'idées occupe une place d'honneur dans les milieux intellectuels. D'abord secouée par la révolution artistique des Automatistes, marquée par la parution du *Refus global* en 1948, l'élite sociopolitique et culturelle du Québec verra monter parallèlement le pouvoir de la plume et celui, plus cru peut-être, de la caméra. Côte à côte et sans pour autant se croiser, l'essai littéraire et cinématographique vont témoigner des mêmes préoccupations et des mêmes bouleversements, à une époque donnée. Si Montaigne au XVIe siècle avait pu se munir d'une quelconque lentille, il aurait certainement pu convaincre catholiques et protestants de l'absurdité des guerres de religion. À l'exemple des œuvres d'Arcand et de Falardeau, il va de soi que, par le mot ou par l'image, la prise de parole d'un seul rejoint assurément l'expérience de tous les autres.

LA PRISE DE PAROLE AU CINÉMA : L'EXEMPLE QUÉBÉCOIS [1]

Au tournant des années 1960, deux facteurs vont contribuer au Québec à l'émergence et à l'établissement d'une cinématographie nationale : le déménagement des bureaux de l'Office national du film (ONF) du Canada d'Ottawa à Montréal en 1956, et une Révolution tranquille qui favorise l'expression du peuple québécois dans tous les domaines de la culture. Une telle conjoncture devait conduire plusieurs cinéastes en devenir à faire du cinéma un vecteur important de l'affirmation identitaire de la société québécoise qui, dès lors, serait un terrain fécond en tentatives audacieuses de mettre en images l'éveil d'une nation.

La montée du nationalisme reste indissociable de l'évolution du cinéma québécois. Ainsi, l'une des principales caractéristiques des premiers films des cinéastes francophones est de donner la parole aux citoyens grâce à un cinéma documentaire, produit par l'ONF, qui se préoccupe surtout de dépeindre les traits de la nation québécoise. Cette *prise de parole* représente déjà en soi un geste politique et le cinéma devient également un *témoin* (et rapidement un acteur) de petits ou de grands événements qui renvoient une image de la collectivité québécoise. On peut penser au rassemblement de raquetteurs dans le film de Gilles Groulx (*Les raquetteurs*, 1958) ou encore à la pêche aux marsouins vécue et filmée par Pierre Perrault et Michel Brault (*Pour la suite du monde*, 1962). À ce titre, les cinéastes vont privilégier une esthétique novatrice [2] qui rejette plusieurs conventions du documentaire classique afin de présenter une réalité qui s'exprime d'elle-même. Dès lors, on peut comprendre qu'un scénario (ou plus précisément une narration impersonnelle lue en voix *off*), une mise en scène ou encore des éclairages et une bande son habilement reconstitués

---

1. Cette section a été rédigée par Alain Vézina.
2. Il faut cependant préciser que l'aspect novateur réside dans le fait que le direct est utilisé au Québec comme un outil d'expression qui permet aux Québécois de se forger une identité nationale. L'esthétique du direct, indépendamment de cette considération majeure, resterait un simple prolongement des films de Robert Flaherty (*Nanook of the North*, 1922) et une variation du *candid eye* canadien.

sont, pour ainsi dire, des éléments susceptibles de donner une image plus ou moins réelle des gens et du milieu qu'on s'efforce de capter sur pellicule [1]. Par conséquent, les cinéastes québécois vont être davantage enclins à adopter un style dépouillé, caractérisé, entre autres, par un éclairage naturel (et les nouvelles pellicules plus sensibles se prêtent à cette façon de faire), une caméra portée à l'épaule (qui donne la mobilité nécessaire pour être au milieu des gens qu'on filme) et un son synchrone. Cette approche, nommée *cinéma direct* (ou parfois *cinéma vérité*), débouche sur un mode d'expression très personnel, car le cinéaste veut avant tout descendre dans la rue, aller chez les gens [2] afin d'être au centre de l'événement et de tenter d'en saisir l'essence *de l'intérieur* [3].

Lorsque Brault et Perrault se rendent à l'Île-aux-Coudres pour tourner *Pour la suite du monde,* ils proposent d'abord aux insulaires de renouer avec une activité abandonnée, à l'époque, depuis une quarantaine d'années : la pêche aux marsouins. Certains pourraient faire valoir que les cinéastes ont violé ce principe de non-ingérence dans la réalité en incitant les insulaires à se lancer dans cette aventure, mais il faut comprendre que cette pêche, aussi pittoresque soit-elle, ne constitue pas le propos du film. Elle n'a en fait qu'une fonction de catalyseur suscitant des réactions qui, elles, sont authentiques. Perrault veut d'abord montrer les croyances et les traditions d'une petite communauté (comme la scène où l'on célèbre le Mardi gras) et la véritable passion qui motivent ces gens à revivre une tradition, à laisser une trace de ce qu'ils ont été. Perrault et Brault laissent les pêcheurs s'exprimer librement (l'accent de certains est si prononcé que des

---

1. Jacques Bobet, qui fut producteur à l'ONF pendant trente-huit ans, définit ainsi cette approche : « remettre la responsabilité du scénario et de la mise en scène dans les mains des gens qui sont devant la caméra », dans *Les 50 ans de l'ONF,* Éditions Saint-Martin et les Entreprises Radio-Canada, 1989.

2. Dans *Golden Gloves* de Gilles Groulx (1961), on interviewe deux boxeurs amateurs dans leur appartement au moment du petit déjeuner et un autre à une taverne, son lieu de travail.

3. Et il s'agit là d'une différence fondamentale avec le *candid eye* canadien où les cinéastes avaient pour principe de filmer les gens à l'improviste et à leur insu, afin d'interférer le moins possible dans la réalité filmée, et ainsi de prétendre à une pure objectivité (ce qui, bien sûr, reste une aspiration illusoire, car le cadrage, le choix d'une lentille, etc. sont autant d'éléments qui témoignent de la subjectivité du regard).

sous-titres sont parfois ajoutés) et l'émotion n'a ainsi besoin d'aucun artifice pour se manifester (il faut voir la joie des pêcheurs quand finalement ils arrivent à capturer un marsouin). Une nation se distingue des autres nations par son histoire et sa culture, et l'intention des cinéastes québécois de la Révolution tranquille est de dépeindre cette réalité dans leurs œuvres.

Si l'on peut qualifier les premiers films du direct de portraits de la société québécoise, il en est tout autrement au fur et à mesure que se développe son cinéma. La prise de position personnelle se fera davantage sentir à la fin des années 1960 et dans la première moitié de la décennie suivante. En 1974, Michel Brault réalise *Les ordres* où, à partir de témoignages de personnes innocentes arrêtées en vertu de la Loi des mesures de guerre mise en vigueur lors des événements d'octobre 1970, il dénonce l'abus de pouvoir d'une autorité qui utilise la répression en période de crise au détriment des libertés individuelles. Brault amalgame habilement fiction et documentaire (en ayant recours notamment à l'interview avec les personnages) et va même jusqu'à demander aux comédiens de se nommer à l'écran et de parler brièvement du personnage qu'ils incarnent. Technique de distanciation très brechtienne où le spectateur peut clairement comprendre que le film est avant tout une démonstration et ainsi porter un jugement encore plus éclairé sur ce moment de l'histoire politique du Québec.

Des cinéastes vont même être victimes de la censure en raison de leur discours trop radical. Gilles Groulx avec *24 heures ou plus* (1973, mais diffusé en 1976) et Denys Arcand avec *On est au coton* (1970, mais diffusé seulement en 1976) sont bâillonnés par l'ONF. Dans ce dernier film très controversé, Arcand dépeint la vie quotidienne des ouvriers du textile et leur lutte incessante afin d'améliorer leurs conditions de travail marquées entre autres par des fermetures d'usines et des maladies (surdité industrielle, pneumoconiose).

Cependant, à partir de 1976, le cinéma politiquement engagé se fait de plus en plus rare. L'élection du Parti québécois semble donner aux artistes l'impression que le pouvoir politique mènera désormais le combat à leur place. Pourtant, l'échec du référendum de 1980 sur la souveraineté-association et la cruelle désillusion qui en résulte ne feront qu'enliser davantage les cinéastes dans cette torpeur. La fin du documentaire d'Arcand *Le confort et l'indifférence* (1981) traduit assez bien ce constat d'échec du rêve nationaliste : le peuple se détourne d'un renouveau politique qui semble plus que jamais inaccessible et trouve refuge dans le patrimoine (le hockey, la religion, le bingo) ou encore dans des loisirs pour le moins extravagants (les véhicules récréatifs aménagés comme des salons !). L'essai d'Arcand est d'autant plus empreint d'un certain cynisme qu'il y ajoute des segments où le comédien et metteur en scène bien connu Jean-Pierre Ronfard interprète Nicolas Machiavel récitant des passages du *Prince*. On constate ainsi que les mœurs sociopolitiques sont figées dans une immuabilité qui ne fait que perpétuer des modes de pensée et des comportements.

Si l'amère déception de 1980 réduit plusieurs artistes au silence, il en est d'autres pour qui la lutte doit se poursuivre sans répit. Du film engagé, on passe au film « enragé[1] » avec *Le temps des bouffons*. En 1985[2], Pierre Falardeau tourne la fête marquant le bicentenaire du Beaver Club. Son objectif est de faire un film dénonçant la servitude séculaire du peuple québécois à l'égard de la classe politique et des dirigeants des grandes entreprises. D'une rare virulence, ce court métrage constitue un violent réquisitoire contre l'*establishment*, un véritable pamphlet cinématographique. Falardeau tourne les images du souper du club et y appose ensuite un commentaire incendiaire (lu à la première personne avec un ton très méprisant) ; un « collage de réflexions et de bouts de phrases que je ramassais depuis toujours[3] », précise le réalisateur. Les politiciens et chefs d'entreprises sont qualifiés de « charognes à qui on élève des monuments, des profiteurs qui passent pour des philanthropes, des pauvres types amis du régime déguisés en sénateurs séniles, des bonnes femmes au cul trop serré, des petites plottes qui sucent pour monter jusqu'au top, des journalistes rampants habillés en éditorialistes serviles, des avocats véreux, costumés en juges à 100 000 $ par année, des lèche-culs qui se prennent pour des artistes.

---

1. Une « œuvre d'art enragée » selon les mots mêmes de Falardeau dans l'entretien qu'il accorde à Mireille La France dans *Pierre Falardeau persiste et filme*, Les Éditions de l'Hexagone, 1999.

2. Le film ne fut achevé qu'en 1993.

3. Mireille La France, *op. cit.*

Toute la gang est là : un beau ramassis d'insignifiants chromés, médaillés, cravatés, vulgaires et grossiers avec leurs costumes chic et leurs bijoux de luxe ».

Cette attaque contre la classe politique est parfois livrée avec un humour mordant comme dans *Yes sir, madame* (1994) de Robert Morin. Le film, entièrement tourné en caméra subjective (un procédé récurrent dans la filmographie de Morin), raconte les déboires d'Earl Tremblay, individu en pleine crise d'identité et dont le bilinguisme entraîne chez lui un véritable dédoublement de personnalité. Le portrait que Morin brosse de l'élite politique n'est certes pas flatteur et tout le texte du personnage, prononcé tout le long du film en français et en anglais (avec bien sûr une perception et des propos contradictoires qui témoignent de la schizophrénie du personnage), devient ainsi une désopilante satire du bilinguisme, du biculturalisme (Earl affirme d'entrée de jeu que l'usage des deux langues fera du film « *un criss de bon film canadien* ») et de tout le système sociopolitique canadiens. À la haine viscérale d'un Falardeau, Morin substitue la caricature et le cynisme. Le mélange des deux langues officielles devient une dangereuse mixture faisant d'Earl Tremblay le premier Dr Jekyll et M. Hyde canadien !

Loin de toute polémique politique, le documentaire influencé par le cinéma direct peut aussi se révéler un outil de réflexion permettant de se livrer à un questionnement sur soi-même et son entourage. Après s'être interrogée sur la honte des femmes victimes de viol et avoir dénoncé un système judiciaire entretenant cette honte injustifiée (avec de nouveau un habile dosage de réalité et de segments « mis en scène[1] ») dans *Mourir à tue-tête* (1979), la réalisatrice et monteuse Anne Claire Poirier se sert du cinéma pour tenter de calmer sa douleur à la suite du meurtre sordide de sa fille, toxicomane et prostituée, dans *Tu as crié LET ME GO* (1996). Rarement un documentaire québécois aura été aussi déchirant, rarement la souffrance et les questions de son auteure auront été exprimées avec une sincérité aussi touchante.

---

1. La scène du viol dans la camionnette place littéralement le spectateur dans la peau de la victime, car la caméra épouse constamment son point de vue.

L'errance de la caméra, que ce soit dans une ruelle ou à la morgue, renvoie à l'errance de cette mère éplorée qui tente de comprendre (par des témoignages d'autres parents ayant vécu pareil drame, d'intervenants sociaux ou de toxicomanes et de jeunes prostituées) les raisons qui ont entraîné son enfant vers l'irrémédiable. Détresse d'une mère, mais aussi détresse de tous ces jeunes de la rue à court de ressources.

Cette démarche introspective se retrouve aussi dans *Petit Pow! Pow! Noël* (2005) de Robert Morin. La caméra subjective permet ici à son auteur de comprendre les motivations d'un père mourant qui, toute sa vie, s'est volontairement coupé de sa famille et qui est devenu, à la suite d'un accident, un véritable boulet pour celle-ci. Cette rancœur d'un fils prêt à commettre un parricide se transforme progressivement en une compréhension des raisons profondes qui ont conduit le père à l'isolement et au mutisme et aboutit à la réconciliation. Plus que jamais, la caméra devient un médiateur qui permet à son utilisateur de se comprendre davantage, d'aller au bout d'un questionnement qui comporte également le risque de découvrir des aspects peu enviables de sa personnalité. Lorsqu'un film permet d'approfondir la réalité de ce qui nous entoure ou celle qu'on incarne, de vaincre nos propres inhibitions, d'éveiller en nous cette volonté de s'exprimer sans retenue, alors on peut aisément comprendre pourquoi Morin n'hésite pas à considérer une caméra comme une *armure* qui rend *invincible* celui qui la manipule.

Cité libre

Vol. 1, no 1   Juin 1950

Administration: 3834 Prud'homme,   Montréal

Règle du jeu

Nous sommes là des centaines, depuis quelques années à souffrir d'un certain silence; et c'est pourquoi Cité libre vient au jour.

Nous ne sommes pas un groupe qui prend la parole en son propre nom et ce préambule n'est pas un manifeste. Il nous paraît au contraire que l'assemblée générale est convoquée depuis longtemps. Nous sommes tous là, ceux d'une génération dont le tour est venu de s'exprimer. Nous avons quelque chose à dire. Mais le silence n'est pas facile à rompre publiquement; il fallait qu'une équipe s'en fît une obligation.

Ceci n'est donc qu'un premier mot, une intervention initiale et qui doit déclencher le débat. Chacun de nos articles veut être une invitation à ceux de trente ans et moins qui n'ont pas encore parlé, à ceux-là aussi qui en ont eu l'occasion mais qui n'ont pas pu dire ce qui leur tenait le plus à cœur.

Ils sont nombreux. Car les hommes et les femmes qui voisinent aujourd'hui la trentaine n'ont pas tous perdu leur temps depuis 1940. Il sont couru toutes les aventures spirituelles, artistiques, intellectuelles, sociales, voire politiques. Ils ont aussi couru le monde. Ils ne se sont pas

Premier numéro de la revue
Cité libre, juin 1950.

Cité libre

Vol. 1, no 1   Juin 1950

Montréal

PLONGÉE
DANS L'ŒUVRE

années,
ité libre

arole en
manifeste.

Il nous paraît au contraire que l'assemblée générale est convoquée depuis longtemps. Nous sommes tous là, ceux d'une génération dont le tour est venu de s'exprimer. Nous avons quelque chose à dire. Mais le silence n'est pas facile à rompre publiquement; il fallait qu'une équipe s'en fît une obligation.

Ceci n'est donc qu'un premier mot, une intervention initiale et qui doit déclencher le débat. Chacun de nos articles veut être une invitation à ceux de trente ans et moins qui n'ont pas encore parlé, à ceux-là aussi qui en ont eu l'occasion mais qui n'ont pas pu dire ce qui leur tenait le plus à cœur.

Ils sont nombreux. Car les hommes et les femmes qui voisinent aujourd'hui la trentaine n'ont pas tous perdu leur temps depuis 1940. Ils sont couru toutes les aventures, spirituelles, artistiques, intellectuelles, sociales, voire politiques. Ils ont aussi couru le monde. Ils ne se sont pas abstenus de réfléchir. Et les voici maintenant qui cherchent tous ensemble, après bien des rêves d'évasion permanente ou temporaire, à pousser des racines dans ce pays.

D'ENTRÉE DE JEU

La « Plongée dans l'œuvre » de *300 ans d'essais au Québec* propose plusieurs exercices qui sauront exploiter chacun des textes publiés dans ce recueil, individuellement ou par analyse comparative. Tout d'abord, la fiche d'analyse de l'essai vous permet d'observer de près l'œuvre de chaque auteur et, par le fait même, de maîtriser les différentes caractéristiques propres au genre. Pour chacun des textes du recueil, répondez aux questions proposées dans la fiche d'analyse. Au besoin, faites une recherche en bibliothèque ou sur Internet, seul ou en équipe. Des rallyes thématiques sont ensuite suggérés au lecteur, qui pourra mettre à profit ses récentes connaissances en répondant aux questions « Intertextes ». Enfin, la section « Porte-voix » donne la parole à des essayistes de renom qui viennent éclairer les sujets chers aux penseurs québécois : le nationalisme, la langue, la culture, l'histoire, la politique et le féminisme.

FICHE D'ANALYSE DE L'ESSAI

AUTEUR : _____

TITRE : _____

ANNÉE DE PUBLICATION : _____

1. Déterminez le contexte sociohistorique dans lequel s'inscrit la production de ce texte.

2. Mettez en relation le sujet du texte et la biographie de l'auteur.

3. Dans quel type d'essai pourrait-on classer ce texte ? Expliquez votre choix.

4. Quel effet crée le titre de l'œuvre ou du chapitre ?

5. L'essai est un genre propice à l'énonciation au « je ». Quelles sont les marques de subjectivité que vous pouvez reconnaître dans le texte ? Quel rôle jouent les pronoms ?

6. Quels sont les principaux thèmes exploités par l'auteur ?

7. Déterminez le point de vue de l'auteur sur le sujet qu'il aborde. Quelle est sa visée ?

8. Quelle est la structure de son argumentation ? Observez le jeu des marqueurs de relation qui la jalonnent.

9. Quelle est la tonalité du texte ? Quelle humeur traduit cette tonalité ?

10. Repérez et expliquez les marques typographiques qui mettent en lumière un aspect du texte.

11. Cherchez la définition des mots dont vous ne connaissez pas la signification exacte.

12. Faites une recherche sur toutes les références du texte que vous ne comprenez pas : événement historique, allusion politique, figure mythologique, personnage célèbre, œuvre artistique, source des épigraphes et des citations, etc.

13. Quel est l'effet engendré par toutes ces références dans le texte ?

14. Relevez les champs lexicaux en précisant les termes qui les forment. Expliquez l'effet qu'ils créent dans le contexte.

15. Repérez les figures de style et expliquez l'effet qu'elles créent dans leur contexte.

AUTOUR DU GENRE

1. Commentez et justifiez ces définitions de l'essai à la lumière des textes présentés dans ce recueil. Ponctuez votre explication d'exemples précis.

   a. Dans *Critique et vérité* (1966), alors qu'il discute des *Exercices spirituels* d'Ignace de Loyola, Roland Barthes définit l'essai, qu'il considère comme un texte critique. Selon lui, il s'agit d'« un discours dramatisé [1], exposé à une autre force que celle du syllogisme [2] et de l'abstraction [3] ».

   b. Dans *Roland Barthes par Roland Barthes* (1975), le critique et essayiste français soutient à nouveau que ce genre se caractérise par une « désorganisation systématique » qui est vraisemblablement sa seule règle.

   c. Le philosophe et compositeur allemand Theodor Adorno élabore une approche semblable à celle de Barthes dans ses *Notes sur la littérature* (1974, posthume). Pour lui, l'essai doit être « méthodiquement non méthodique », car sa « loi formelle la plus profonde », c'est « l'hérésie ».

   d. Dans *Situations I* (1947), Jean-Paul Sartre voit dans la prose d'idées, un exposé, un « mélange des preuves et du drame ».

2. Dans *L'âme et les formes* (1910), le philosophe hongrois György Lukács voit dans l'essai un genre éminemment hétérogène. Il regroupe sous cette appellation « les dialogues de Platon, les écrits des mystiques, les *Essais* de Montaigne, les pages d'imagination du *Journal* de Kierkegaard et ses nouvelles ». Retracez ce caractère hétéroclite en précisant le genre des différents essais québécois présentés dans ce recueil.

3. En 1960, dans la revue allemande *Deutsche Philologie im Aufriss*, Klaus Günther dresse une typologie de l'essai. Donnez quelques exemples québécois pour chacune des catégories qu'il a répertoriées :

---

1. Dramatisé : grave, tragique.
2. Syllogisme : raisonnement rigoureux, argumenté, mais sans prise sur le réel.
3. Abstraction : analyse d'un élément en particulier faite en écartant tous les autres.

- *l'essai conceptuel*
- *l'essai de critique culturelle*
- *l'essai de critique littéraire*

- *l'essai biographique*
- *l'essai consacré à un objet*
- *l'essai ironique*

PARCOURS THÉMATIQUES

À la manière d'un rallye littéraire, parcourez le recueil en explorant différentes « bornes » qui vous sont suggérées selon un thème donné.

A. HISTOIRE : Ce parcours fait découvrir les événements qui ont jalonné l'histoire du Québec, dans un contexte spécifique et sous le regard particulier d'un auteur.

① Le baron de La Hontan (pages 16 à 18) raconte presque cyniquement les balbutiements de la colonie française en Amérique.

② François-Xavier de Charlevoix (pages 19 à 21) entrevoit la formation du caractère typique des Canadien français en les comparant même aux Anglais et aux Américains.

③ Le *Manifeste* des Fils de la Liberté (pages 27 à 32) rend compte des événements historiques et politiques qui se sont déroulés depuis la Conquête, afin de justifier les revendications des patriotes.

④ François-Xavier Garneau, considéré comme le père de l'histoire nationale des Canadiens français, publie le premier tome de son *Histoire du Canada* en 1845. Il revisite les faits saillants de l'histoire sous l'angle d'un peuple certes vaincu, mais fier. L'extrait des pages 36 à 38 témoigne bien de cette démarche.

⑤ Adolphe Basile Routhier, dans son dialogue de morts intitulé *Les grands revenants* (texte intégral proposé aux pages 61 à 68), redonne vie aux grands personnages religieux et politiques qui ont marqué les grands moments de la Nouvelle-France. Par cette vision fictive du passé, l'auteur fait la preuve qu'il se préoccupe de l'avenir de son pays, secoué par de constantes luttes culturelles.

B.   POLITIQUE : Ce parcours se concentre principalement sur le thème du nationalisme et présente les vagues patriotiques qui ont déferlé sur le Québec aux XIXe et XXe siècles.

① Les discours de Louis Joseph Papineau, chef du Parti patriote, savaient enhardir la population. Ils étaient des milliers venus de partout pour venir l'écouter. Être patriote, pour lui, c'était avant tout désirer la liberté, comme il le mentionne aux pages 24 à 26.

② En 1839, Chevalier de Lorimier subit personnellement les conséquences de la Rébellion des patriotes : il est exécuté le 15 février. Sa dernière lettre (pages 33 à 35) est considérée comme un testament politique. En s'adressant à sa famille et à ses compatriotes, il réaffirme la justesse de son combat avec les convictions et le courage d'un authentique héros.

③ Dans la première moitié du XXe siècle, c'est le chanoine Lionel Groulx qui contribue le plus à *prêcher* le nationalisme de la « race » canadienne-française. Déjà en 1937, il proclamait sur les plaines d'Abraham : « Qu'on le veuille ou qu'on ne le veuille pas, notre État français, nous l'aurons ! » Véritable prophète du pays à venir, il a nourri de ses idées des générations d'élèves et de citoyens (pages 74 et 75).

④ Le felquiste Pierre Vallières témoigne à son tour de l'effervescence patriotique de la Révolution tranquille. Avant l'arrivée au pouvoir du Parti québécois, en 1976, les membres du Front de Libération du Québec n'ont pas hésité à utiliser l'ultime solution — la violence — pour faire valoir leur attachement à la patrie. Les pages 115 à 119 du recueil présentent surtout le préambule de *Nègres blancs d'Amérique* dans lequel Pierre Vallières dénonce la *colonisation* et l'*aliénation* politique, économique et culturelle des Québécois par les Canadiens anglais. On peut comparer cette œuvre au *Manifeste du FLQ*, diffusé sur les chaînes de télévision lors de la crise d'Octobre 1970.

⑤ Enfin, le couronnement suprême de tout sentiment patriotique est sa réalisation politique et démocratique. En 1978, René Lévesque prononce à l'Assemblée nationale un discours qui précise le déroulement d'un éventuel référendum portant sur la souveraineté du Québec (pages 133 à 137). L'amère défaite de 1980 sera considérée par plusieurs nationalistes comme un stigmate collectif.

C. CULTURE : Dans le rallye sur la culture, le thème de la littérature est à l'honneur. Les premières œuvres littéraires canadiennes-françaises sont publiées autour des années 1840. *L'influence d'un livre* de Philippe Aubert de Gaspé fils, paru en 1837 quelque temps avant la révolte des patriotes, est considéré comme le tout premier roman québécois.

1. Déjà, vers 1860, débute l'histoire de la critique littéraire proprement québécoise avec les analyses de l'abbé Casgrain. Son point de vue reflète, bien sûr, les valeurs de son époque. L'objectif que doit viser une littérature dite nationale est présenté aux pages 39 et 40.

2. L'un de ses correspondants, le poète Octave Crémazie, déplore le fait que la littérature d'ici ne puisse traverser les frontières du Canada, car il est vrai qu'elle était déjà boudée par la France (pages 46 et 47).

3. Pour sa part, Adolphe Basile Routhier, l'auteur d'*Ô Canada,* propose un bref essai de littérature comparée entre la production canadienne-française et celle de la « mère patrie » (pages 56 et 57).

4. L'historien Thomas Chapais est présenté comme un redresseur de torts. Aux détracteurs de la culture canadienne-française, peut-être Lord Durham, en l'occurrence, il explique la naissance tardive de la littérature par une structure argumentative fort éloquente et sans faille (pages 58 à 60).

5. En lisant le texte de Mgr Camille Roy paru en 1928 (pages 76 à 78), le lecteur peut vite comprendre que la critique littéraire a peu évolué en presque 70 ans, c'est-à-dire depuis les pages de l'abbé Casgrain. Cette observation éclaire le contexte socio-historique du Québec traditionnel : pendant longtemps, même dans les sphères intellectuelles, la province a connu peu de changements.

⑥ Par contre, dans l'extrait de *La génération lyrique* (pages 156 à 160), l'essayiste François Ricard cerne bien les grandes dates de la littérature moderne, celle qui naît vraisemblablement dans les méandres de la Révolution tranquille et qui inspirera les générations futures.

D.   RELIGION : Le rallye relativement court sur le thème de la religion permet de survoler les opinions des essayistes pour chacune des périodes.

　　① Dans son article (pages 41 à 45), Arthur Buies raconte, avec le ton décapant qu'on lui connaît, dans quelles circonstances l'Église catholique a nui au développement des Canadiens français. Son anticléricalisme était partagé par plusieurs dans la seconde moitié du XIXe siècle, mais peu osaient l'avouer publiquement.

　　② Plus tard, cependant, le discours d'Henri Bourassa en 1918 (pages 71 à 73) stipule tout le contraire, car il vante littéralement la relation fusionnelle qui existe entre les valeurs canadiennes-françaises et la foi catholique. L'auteur croit en effet que la religion demeure bénéfique pour sa patrie.

　　③ En 1963, la situation a bien changé. Dans un chapitre de son essai-culte *La ligne du risque* (pages 107 à 110), Pierre Vadeboncoeur expose les raisons sociologiques de la croyance en Dieu et la subite disparition de ce sentiment chez les Québécois qui ont façonné, d'une manière ou d'une autre, la Révolution tranquille.

　　④ Enfin, l'écrivaine Suzanne Jacob répond à Pierre Vadeboncoeur trente ans après en décrivant avec justesse ce qui constitue le « prolongement » de la foi dans la société postmoderne (pages 177 à 179). Si Dieu est mort ou n'existe pas selon l'avis de plusieurs, qui donc l'a remplacé ?

E.   FEMMES : Le thème du féminisme québécois, qui a connu une montée remarquable dans les années 1930 et 1970, mérite que l'on s'y attarde en explorant du moins quelques textes.

① Le texte de la fondatrice de l'Alliance canadienne pour le vote
des femmes du Québec, Idola Saint-Jean, donne le ton à toutes
celles qui militeront pour le suffrage universel (pages 81 à 83).
Solidaires, elles sont aussi appuyées par les membres de la
Ligue des droits de la femme, présidée par Thérèse Casgrain,
autre grand nom du féminisme québécois.

② Dans le roman *L'Euguélionne* de Louky Bersianik (pages 128
à 132), les revendications des femmes épousent la forme de
l'essai. Le discours de l'auteure est sans contredit engagé, rap-
pelant celui des suffragettes d'autrefois.

③ En 1986, la fondatrice de la revue féministe *La vie en rose* nous
offre — tels de bons muffins — une lettre fictive écrite par la
figure symbolique de la bonne cuisine américaine, Betty Crocker.
Avec une hilarante singularité, Hélène Pedneault trace un
portrait satirique de la parfaite ménagère des années 1950
(pages 146 à 148).

④ De nos jours, le féminisme n'est plus uniquement réservé à des
écrivaines. Le point de vue masculin se fait de plus en plus
entendre. Les anthropologues Bernard Arcand et Serge
Bouchard discutent de la « fin du mâle ». Ils s'interrogent sur
les conséquences sociales des luttes déjà gagnées par les femmes.
Paradoxalement, si ces dernières ont trouvé depuis quelque
temps une liberté longtemps réclamée, les hommes, de leur
côté, semblent vivre une crise d'identité (pages 180 à 183).

⑤ Dans un article récent paru dans *La Presse,* Pierre Foglia, selon
sa technique habituelle, énonce une théorie tout à fait convain-
cante sur l'image de la femme à partir d'un événement du
quotidien. La beauté, les préjugés, les féministes, le sexe, le
mythe de la jeunesse éternelle, les exigences de la publicité ; il
passe tout à la loupe si bien que son lecteur n'a d'autre choix
que d'adhérer aux propos de l'éditorialiste… c'est la signature
même de Foglia (pages 184 à 187).

F.   LANGUE : La querelle du joual est sans doute le débat qui a fait couler le plus d'encre au Québec avec celui sur l'indépendance nationale. Il appert que les deux sont indissociables à une certaine époque.

① On doit ce néologisme au journaliste André Laurendeau qui, dans *Le Devoir,* est le premier à parler d'une langue « jouale » (pages 101 et 102).

② L'année suivante, en 1960, la parution des *Insolences du Frère Untel* lance officiellement le débat dans les médias et le milieu artistique. Dans le premier chapitre de son essai, Jean-Paul Desbiens se désole de la piètre qualité du français de ses élèves (pages 103 à 106).

③ Peu après, en 1965, le poète Gérald Godin se porte garant de cette langue si proprement nationale, tant décriée par les puristes. Il exhorte tous les Québécois à faire comme lui : à « être d'ici » selon la formule de Shakespeare. Cet article, paru dans la revue *Parti pris,* figure parmi les meilleurs documents qui témoignent de la « querelle du joual » (pages 111 à 114).

④ Un extrait de l'œuvre du réputé essayiste Jean Marcel, *Le joual de Troie* est également présenté. En 1973, l'universitaire transpose dans une brillante allégorie mythologique la question de la langue et de l'identité nationale qui préoccupe tant les Québécois (pages 120 à 127).

⑤ Enfin, le tourment de Georges Dor, en 1996, à propos de la pauvreté syntaxique du français parlé au Québec rappelle étrangement la désolation du Frère Untel. Son chapitre sur le « je suis » totalement esquinté dans la « Belle Province » est présenté aux pages 171 à 173.

1. Examinez le regard extérieur que le baron de La Hontan et le père Charlevoix portent sur la « nouvelle » colonie française en Amérique. En quoi est-il semblable ? En quoi est-il différent ?

2. Dites pourquoi la vision des femmes du baron de La Hontan n'est pas conciliable avec celle de Louky Bersianik.

3. Expliquez pourquoi le texte d'Étienne Parent sur le journalisme et celui d'Henri Bourassa sur la langue française et la foi catholique visent le même objectif.

4. Le combat de Chevalier de Lorimier et celui de Pierre Vallières se ressemblent. Pour quelles raisons ?

5. Quelle vision de la littérature canadienne l'abbé Casgrain, Crémazie et Mgr Roy partagent-ils ?

6. Arthur Buies dénonce l'ultramontanisme alors que Henri Bourassa en est l'incarnation. Opposez leurs points de vue sur la langue et la religion.

7. Croyez-vous que Thomas Chapais dans *Une littérature vivante et héroïque* a raison de croire que ce sont les rudes débuts de la Nouvelle-France qui ont façonné une littérature nationale ?

8. Étienne Parent et Jules-Paul Tardivel n'ont pas la même perception des pouvoirs du journalisme. Démontrez-le.

9. Que dirait Mordecai Richler des propos de Lionel Groulx ?

10. En quoi le style d'écriture d'Arthur Buies et celui d'Olivar Asselin se rappochent-ils ?

11. André Laurendeau, Jean-Paul Desbiens et Georges Dor partagent-ils le même point de vue sur la langue jouale ? Pourquoi ?

12. Comparez les textes d'Arthur Buies et de Pierre Vadeboncoeur. Quelles conclusions pouvez-vous en tirer ?

13. Gérald Godin et Jean Marcel utilisent la même argumentation pour défendre leurs points de vue. Est-ce exact ? Étayez votre réponse à l'aide de preuves tirées de leurs textes.

14. Comparez le discours de René Lévesque sur la souveraineté du Québec et le point de vue de Pierre Elliott Trudeau sur le

référendum de 1980. Quelles différences pouvez-vous observer entre les deux adversaires politiques ?

15. Le cynisme de Mordecai Richler et celui de Pierre Foglia se ressemblent-t-ils ? Expliquez votre point de vue à l'aide de preuves tirées de leurs textes.

QUESTIONS SYNTHÈSE : FRANCE-QUÉBEC

1. La popularité des journaux en France est-elle comparable à celle qui est observée au Québec durant la deuxième moitié du XIXe siècle ? Comment peut-on expliquer ce phénomène ?

2. Octave Crémazie (pages 46 et 47) affirmait en 1867 que la littérature d'ici était sans doute « destiné[e] à ne pas franchir l'Atlantique ». Sa *prophétie* traduit-elle la situation de la littérature québécoise contemporaine par rapport à l'Hexagone ? Dans quelle mesure ?

3. Expliquez les différences entre la révolution surréaliste en France et celle des Automatistes au Québec.

4. La modernité québécoise se vit, selon un point de vue historique, à partir des années 1960. Vraisemblablement, la province accusait un retard par rapport à la France. Comment expliquez-vous ce phénomène ?

5. L'histoire du féminisme au Québec suit-elle celle de la France ? Pourquoi ?

Sujets de dissertation critique

1. Le caractère des Canadiens français est défini de la même façon dans les textes de Charlevoix et de Garneau. Discutez.

2. Dans la dernière lettre de Chevalier de Lorimier et dans le discours de Louis Joseph Papineau, est-il juste d'affirmer que leur patriotisme est de la même nature ?

3. Dans *Les grands revenants* d'Adolphe Basile Routhier, les personnages ne s'entendent pas sur le sort des Canadiens français et leur avenir en Amérique. Discutez.

4. Est-il juste de dire que Henri Bourassa et Jules-Paul Tardivel traitent le thème de la religion catholique de la même façon ?

5. Dans le *Manifeste du Refus global*, les Québécois sont présentés uniquement de manière négative. Discutez.

6. Dans l'extrait de *L'Euguélionne*, est-il juste d'affirmer que Louky Bersianik présente uniquement le visage glorieux de la femme ?

7. Dans *De la fin du mâle*, Bernard Arcand et Serge Bouchard exposent une vision semblable du rôle de l'homme et de la femme au sein de la société. Cette affirmation est-elle juste ?

8. Est-il juste de dire que Neil Bissoondath, dans son texte *L'ethnicité*, soutient que le racisme se fonde uniquement sur le préjugé ?

9. Est-il vrai d'affirmer que Georges Dor, dans *Suis-je ou ne suis-je pas ?*, et Gérald Godin, dans *Le joual et nous*, fournissent les mêmes arguments pour défendre leur point de vue sur les spécificités de la langue jouale ?

10. Dans son éditorial intitulé *La féminité inouïe*, Pierre Foglia idéalise la femme. Discutez.

PORTE-VOIX

Commentez chacun de ces extraits en vous appuyant sur la lecture et la compréhension des essais présentés dans le recueil, en particulier celui ou ceux qui vous sont suggérés.

1. Analysez les propos de Luc Bureau après avoir lu les textes de Neil Bissoondath et de Fernand Dumont.

> *Le Canadien est un éternel exilé, qui ne se sent vraiment chez lui que lorsqu'il est physiquement ou spirituellement ailleurs. Il emprunte à la Suède ses modèles sociaux, à la France ou à l'Angleterre — c'est selon — ses modèles culturels, aux États-Unis ses modèles économiques, à Rome ou à l'Inde ou à la Californie ses modèles religieux... et c'est quelque part en Floride, dans une île des Caraïbes ou au Mexique qu'il désavoue l'hiver.*
>
> Luc Bureau, *La Terre et moi*, Boréal (1991)

2. À partir des arguments de Neil Bissoondath dans *L'ethnicité*, réfutez l'opinion de l'écrivain et cinéaste Jacques Godbout.

> *La société québécoise, à l'échelle des valeurs des communautés humaines, dans ce qu'elle a de profondément original, mérite d'être assimilée par tous ceux qui s'installent sur son territoire. Notre nom n'est pas Mosaïque, notre langue n'est pas le bilinguisme.*
>
> Jacques Godbout, *L'écran du bonheur*, Boréal (1995)

3. Jean Larose, professeur de littérature à l'Université de Montréal, a signé bon nombre d'essais qui ont, à leur parution, fait scandale. L'auteur excelle notamment dans les combats singuliers. Parfois, comme c'est le cas ici, il donne raison à ses « collègues ». Êtes-vous d'accord avec lui en ce qui concerne la pertinence des lois linguistiques votées au Québec ?

> *Tant que Mordecai Richler s'en tient à critiquer les lois linguistiques, il intervient en intellectuel à la défense de la société québécoise, telle qu'il l'a connue et telle qu'il voudrait qu'elle se conserve. Après tout, il ne manque pas de Québécois français, indépendantistes même, pour sentir que les lois linguistiques sont un aveu de faiblesse, qu'elles sont bien peu souveraines.*
>
> Jean Larose, *La souveraineté rampante*, Boréal (1994)

4. Toutefois, Jean Larose peut attaquer et répliquer tout aussi facilement. Après avoir lu l'article de Pierre Foglia (pages 184 à 187), seriez-vous prêt à soutenir son point de vue au sujet du style du journaliste ?

> *Foglia est populaire. La direction du journal* La Presse, *très large d'esprit, appréciant que son style familier, voire brutal, fasse vendre de la copie mieux que le tact et les bonnes manières, lui a permis d'user du langage le plus « direct » pour faire connaître à la population ses opinions et humeurs, souvent mauvaises. Au fil des ans, Pierre Foglia est ainsi devenu la voix du bon sens, l'ombudsman de ces idées flottantes dans l'esprit du temps, idées immanquablement reconnaissables à cette caractéristique qu'elles sont d'autant plus « fières » qu'elles sont petites et bêtes.*
>
> Jean Larose, *La souveraineté rampante*, Boréal (1994)

5. Après avoir lu le discours de René Lévesque, expliquez pourquoi l'écrivain Paul Chamberland parle de l'élection du Parti québécois en ces termes.

> *La date du 15 novembre 1976 est devenue le nouveau pivot de notre histoire. Avec son mot, définitif comme un oracle : « Nous ne sommes pas un petit peuple, mais un grand peuple. »*
>
> Paul Chamberland, *Terre souveraine*, L'Hexagone (1980)

6. D'après les mémoires de Pierre Elliott Trudeau, justifiez cette affirmation du chef du Parti québécois.

> *La seule logique de M. Trudeau, c'est l'élimination de la différence québécoise.*
>
> René Lévesque, *Le Monde,* 14 décembre 1980.

7.   Trente-huit ans après le *Refus global* de Borduas et des Automatistes, François Benoît et Philippe Chauveau font paraître chez Boréal *Acceptation globale.* Les auteurs de ce nouveau manifeste d'une jeunesse qui souhaite se faire entendre abordent l'histoire du Québec selon un découpage générationnel fantasmagorique. Pour eux, les jeunes en 1986 représentent les AG (*acceptation globale*), les RG correspondent à l'époque du *Refus global* (1948) et les MG sont plutôt nés dans les années 1930, ce sont les *modernistes globalistes.* Dans cet extrait, confrontez les points de vue des auteurs d'*Acceptation globale* à celui de François Ricard dans *La génération lyrique* (1992).

> *Les modernistes globalistes sont solitaires et travailleurs. En raison d'on ne sait trop quel traumatisme, ce trait névrotique est devenu une psychose collective importante. C'est ainsi que la maladie du Bûcheron Illuminé a frappé toute leur génération. Cette affection d'origine atavique pousse les individus qui en sont atteints à défricher compulsivement et sans relâche tous les terrains qui leur tombent sous la main. Les MG partagent ainsi le même but que leurs ancêtres les colons: faire avancer la civilisation.*
>
> *Cette première affection se complique d'un deuxième syndrome: la Quête du Pays Perdu. Pour certains, ce pays imaginaire est le Québec; pour d'autres, c'est le Canada. Tout ici n'est qu'affaire de degré de persistance dans l'esprit de colon. Pour les MG, il faut posséder un pays, que ce soit le Canada ou le Québec. Ils partagent donc tous cette vision d'un Graal constitutionnel miraculeux et paradisiaque. Avec les Chevaliers de la Question Nationale (dit de la Table qui tourne en Rond), sous la gouverne du roi René ou sous l'égide de l'enchanteur Pierre Elliott, ils se sont juré de passer par-dessus tout pour atteindre leur but, malgré tous les dragons et autres maléfices anglais.*
>
> François Benoît et Philippe Chauveau,
> *Acceptation globale,* Boréal (1986)

8. Albert Memmi, l'auteur du très populaire *Portrait du colonisé* écrit en 1955-1956, a été invité à la télévision canadienne-française en 1968. Son ouvrage, préfacé par Jean-Paul Sartre, était si populaire qu'il était clandestinement imprimé et distribué au Québec. Que ce soit à Paris ou à Montréal, Memmi rencontre donc l'écrivain Hubert Aquin, le critique littéraire Pierre de Grandpré et André D'Allemagne du R.I.N., qui lui expliquent la situation sociopolitique et culturelle des Québécois dans les années 1950 et 1960.

Dans ce premier extrait, on explique à l'écrivain tunisien que les Français et les Anglais du Canada sont en fait plutôt deux peuples colonisateurs dont l'un a été vaincu par l'autre. Il n'y aurait donc pas de raison de croire que les Québécois francophones puissent être des colonisés, que ce seraient plutôt les Amérindiens qu'il faudrait voir ainsi. Ce à quoi, Memmi répond :

> *Certes, le niveau de vie des Canadiens français est dans l'ensemble, et comparativement, plus élevé qu'en Europe. Il est plus près de celui des Américains, ce qui est le comble aujourd'hui pour un Français. Et il est exact que le terme de colonisation suggère la misère matérielle et culturelle. Mais c'est que nous avons dans l'esprit les colonisations de type africain ou asiatique. Je voudrais rappeler ici deux hypothèses supplémentaires qui m'ont beaucoup servi et que j'ai eu l'occasion de vérifier, dernièrement encore, à propos des Noirs américains :*
>
> *Toute domination est relative*
> *Toute domination est spécifique*
>
> *Il est évident que l'on n'est pas dominé dans l'absolu, mais toujours par rapport à quelqu'un, dans un contexte donné. De sorte que même si l'on est favorisé comparativement à d'autres gens et à un autre contexte, on peut parfaitement vivre une domination avec toutes les caractéristiques habituelles de la domination, même les plus graves. C'est bien ce qui paraît arriver aux Canadiens français.*
>
> Albert Memmi, « Les Canadiens français sont-ils des colonisés ? » dans *Portrait du colonisé*, Éditions L'Étincelle (1972)

Établissez le parallèle entre la pensée d'Albert Memmi et celle de Pierre Vallières dans l'extrait proposé de *Nègres blancs d'Amérique* (1968).

9. Comparez ce second extrait de la présentation québécoise de l'œuvre *Portrait du colonisé* avec les textes de Gérald Godin et de Georges Dor.

> *J'ai retrouvé au Canada une version d'un phénomène à peu près constant dans la plupart des situations coloniales, et que j'ai appelé : le bilinguisme colonial. Une langue officielle, efficace, qui est celle du dominant, et une langue maternelle, qui n'a aucune prise ou presque sur la conduite des affaires de la cité. Que les gens parlent deux langues ne serait pas grave, si la langue la plus importante pour eux n'était pas ainsi écrasée et infériorisée. Ce qui différencie le bilinguisme colonial du bilinguisme tout court. En tout cas, on retrouve ici une situation du même type, avec presque toutes les caractéristiques psychologiques et sociales : les Canadiens français sont à la fois gênés par leur langue, ils en ont un peu honte et ils la revendiquent violemment. J'ai assisté à une scène pénible dans un magasin de Montréal, où le jeune homme qui m'accompagnait a réprimandé violemment une vendeuse : il est vrai que celle-ci, Canadienne française, faisait mine de ne pas savoir s'exprimer en français…*
>
> Albert Memmi, « Les Canadiens français sont-ils des colonisés ? »
> dans *Portrait du colonisé*, Éditions L'Étincelle (1972)

10. Comparez cette citation de Marcel Rioux avec les textes d'André Laurendeau, de Jean-Paul Desbiens, de Gérald Godin, de Jean Marcel et de Georges Dor.

> *Pour les jeunes, le joual symbolise notre être culturel, colonisé, dominé et humilié, un drapeau troué par les balles ennemies ; il devient pour certains le symbole de la nouvelle affirmation de soi des Québécois. Et comme l'époque est à l'exorcisation de tous les démons, nombreux sont ceux qui ne craignent de le parler, de l'écrire. Comme l'américanité, jadis expulsée, le joual doit être assumé.*
>
> Marcel Rioux, *Les Québécois*, Seuil (1974)

11. Dans ses *Mythologies* du quotidien, Roland Barthes traite de divers *objets* du quotidien, tels que le *catch*, le vin, le lait, le

bifteck, le strip-tease ou la nouvelle Citroën, en appliquant la rigueur de l'analyse intellectuelle. Ici, il décortique l'institution sacrée et *sociale* qu'est le mariage.

> *Le grand mariage (aristocratique ou bourgeois) répond à la fonction ancestrale et exotique de la noce: il est à la fois potlatch entre les deux familles et spectacle de ce potlatch aux yeux de la foule qui entoure la consomption des richesses. La foule est nécessaire; donc le grand mariage est toujours saisi sur la place publique, devant l'église; c'est là qu'on jette dans le brasier les uniformes et les habits, l'acier et les cravates (de la Légion d'honneur), l'Armée et le Gouvernement, tous les grands emplois du théâtre bourgeois, les attachés militaires (attendris), un capitaine de la Légion (aveugle) et la foule parisienne (émue). La force, la loi, l'esprit, le cœur, toutes ces valeurs d'ordre sont jetées ensemble dans la noce, consumées dans le potlatch, mais par là même instituées plus solidement que jamais, prévariquant grassement la richesse naturelle de toute union. Un « grand mariage », il ne faut pas l'oublier, est une opération fructueuse de comptabilité* […].*
>
> Roland Barthes, « Conjugales » dans *Mythologies*, Seuil (1957)

Comparez la démarche et le ton adoptés par Roland Barthes à ceux des anthropologues Bouchard et Arcand.

12. Simone de Beauvoir est sans conteste l'auteure française qui a le plus nourri le féminisme québécois. Prouvez-le en examinant cet extrait à la lumière des textes d'Idola Saint-Jean et de Louky Bersianik.

> *On ne naît pas femme: on le devient. Aucun destin biologique, psychique, économique ne définit la figure que revêt au sein de la société la femelle humaine; c'est l'ensemble de la civilisation qui élabore ce produit intermédiaire entre le mâle et le castrat qu'on qualifie de féminin. Seule la médiation d'autrui peut constituer un individu comme un Autre.*
>
> *[La fillette] apprend que, pour être heureuse, il faut être aimée; pour être aimée, il faut attendre l'amour. La femme, c'est la Belle au bois dormat, Peau d'Âne, Cendrillon, Blanche Neige, celle qui reçoit et subit. Dans les chansons, dans les contes, on voit le jeune homme partir*

> *aventureusement à la recherche de la femme; il pourfend des dragons, il*
> *combat des géants; elle est enfermée dans une tour, un palais, un jardin,*
> *une caverne, enchaînée à un rocher, captive, endormie: elle attend. Un*
> *jour mon prince viendra... Some day he'll come along, the man I love...*
> *les refrains populaires lui insufflent des rêves de patience et d'espoir.*
>
> Simone de Beauvoir, *Le Deuxième sexe*, Gallimard (1949)

13. Pensez-vous que Mordecai Richler serait d'accord avec les propos du jeune écrivain Maxime-Olivier Mouthier?

> *Même si personne ne m'a jamais parlé de ce que fut cet échec [le référen-*
> *dum de 1980], j'ai des larmes qui me viennent. Avec, en plus, le senti-*
> *ment que c'est là que tout a basculé, le jour où seulement quatre*
> *Québécois sur dix ont voté « oui », ce qui s'est avéré insuffisant; le soir où*
> *tout le monde s'est regardé, sans trop se parler, avant de repartir chez*
> *eux, le cœur gros, le plus grand échec de leur vie au fond des tripes, celui*
> *de leur désir, à jamais rayé. L'échec et le silence en conclusion. Le silence*
> *ensuite à la maison. Encore maintenant, dès l'instant de notre naissance*
> *en territoire non québécois. Un mal politique qui transforme la menta-*
> *lité du monde. Aussi pertinent que la honte de l'Holocauste pour les Alle-*
> *mands. Nous avons voté « non ». Cela, personne dans le reste du monde*
> *ne le comprend vraiment. Même les Anglais, entre eux, ne comprennent*
> *pas pourquoi nous avons voté « non ». Et c'est peut-être un peu pour cela*
> *que, parfois, le reste du monde nous traite avec mépris. En vérité ou en*
> *sensation. Peut-être un peu pour cela que les Français ne pourront*
> *jamais complètement nous respecter. Parce que nous sommes un peuple*
> *raté.*
>
> Maxime-Olivier Mouthier,
> *Pour une éthique urbaine*, L'effet pourpre (2000)

14. Professeur de littérature à l'Université de Montréal, André Brochu est aussi poète, romancier et essayiste. Dans l'extrait qui suit, le ton employé est si convaincant et si arrogant qu'il est difficile pour le lecteur d'en saisir la portée ironique.

Ah! peuple impudent! Pourquoi, en pleine Amérique, avoir persisté dans ta minable vocation? L'Histoire ne reconnaît pas les nostalgies imbéciles. Qui plus est, peuple insensé, tu as brimé ta glorieuse minorité anglophone et allophone en l'obligeant à t'exploiter en français. Il convient donc que tu lui présentes tes excuses. A-t-on idée d'une tyrannie semblable à la tienne? Depuis la plus haute Antiquité, un peuple s'est-il jamais comporté aussi cavalièrement avec ses maîtres? Et d'abord, il faut cesser de te concevoir comme un peuple. Cette notion est dépassée, du moins en ce qui te concerne. Le nationaliste des minorités est rétrograde et mène droit au fascisme. Québécois (francophone), tu devrais avoir honte de ton passé. On t'enseignait la patrie, qui n'existe pas. La honte est la seule véritable patrie d'un amas de tarés baragouinant leur français de marécage. Pourquoi pas l'anglais? C'est une langue sportive, universelle. Elle est la meilleure garantie contre le narcissisme national. Il faut en finir avec l'identité. Il faut être autre, parler autre.

André Brochu, *La grande langue, éloge de l'anglais*,
XYZ éditeur (1993)

Imaginez les commentaires que feraient sur ce texte les auteurs suivants: Louis Joseph Papineau — Lionel Groulx — Gérald Godin — Pierre Vallières — René Lévesque — Mordecai Richler.

15. Dans le *Manifeste du surréalisme* de 1924 ou dans la seconde version parue en 1930, André Breton pose les jalons d'une nouvelle conception de la vie, tant sociale que culturelle. Montrez l'influence des surréalistes français sur les signataires du *Manifeste du Refus global* (1948) à partir de ces citations de Breton.

- *Il a fallu que Colomb partît avec des fous pour découvrir l'Amérique. Et voyez comme cette folie a pris corps et durée.*
- *Ce n'est pas la crainte de la folie qui nous forcera à laisser en berne le drapeau de l'imagination.*
- *L'idée de surréalisme tend simplement à la récupération totale de notre force psychique. C'est peut-être l'enfance qui approche le plus de la « vraie vie ».*

- *Tout porte à croire qu'il existe un point de l'esprit d'où la vie et la mort, le réel et l'imaginaire, le passé et l'avenir, le haut et le bas, le communicable et l'incommunicable cesseront d'être perçus contradictoirement.*

André Breton, *Manifeste du surréalisme* (1924).

16. Jugez-vous que Mgr Camille Roy serait d'accord avec ce commentaire d'Émile Ollivier ?

La mondialisation est un imaginaire. Pour se développer, pour prendre forme et signification, pour se convertir en pratique sociale, cet imaginaire a besoin de se fixer, de se territorialiser. En ce sens, il ne faut pas s'empresser de chanter les funérailles des littératures nationales. Celles-ci semblent avoir un bel avenir devant elles. Nous vivons un temps qui a besoin de médiations culturelles, religieuses, politiques ou territoriales. Ces médiations sont importantes.

Émile Ollivier, *Repérages*, Leméac (2001)

17. Justifiez le point de vue de Vadeboncoeur à la suite de votre lecture du *Manifeste du Refus global*.

Borduas s'en est remis complètement à l'esprit. Il a tout joué. Le Canada français moderne commence avec lui. Il nous a donné un enseignement capital qui nous manquait. Il a délié en nous la liberté.

Pierre Vadeboncoeur, « La ligne du risque » dans *Situations* (1962)

18. Montrez que le discours patriotique de Louis Hippolyte Lafontaine est contemporain de celui des patriotes comme Chevalier de Lorimier et Louis Joseph Papineau.

J'appartiens à mon pays, donc j'appartiens à ce parti. Si c'est un crime d'aimer ses compatriotes et d'épouser avec chaleur la défense de leurs droits et de leurs libertés; si c'est un crime de demander que le peuple choisisse lui-même ses propres législateurs, et que son argent ne soit pas dépensé sans son consentement, je suis coupable, grandement coupable.

Louis Hippolyte Lafontaine, Manifeste aux électeurs
du comté de Terrebonne, 3 novembre 1834

19. Après la lecture de ce recueil, donneriez-vous raison à Hubert Aquin aujourd'hui ? Son point de vue était-il plus pertinent en 1962 ? Enrichissez votre argumentation par les pensées de quelques auteurs présentés dans ce Parcours d'un genre.

> *Le Canadien français est, au sens propre et figuré, un agent double. Il s'abolit dans l'«excentricité» et, fatigué, désire atteindre au nirvana politique par voie de dissolution. Le Canadien français refuse son centre de gravité, cherche désespérément ailleurs un centre et erre dans tous les labyrinthes qui s'offrent à lui. Ni chassé, ni persécuté, il distance pourtant sans cesse son pays dans un exotisme qui ne le comble jamais. Le mal du pays est à la fois besoin et refus d'une culture-matrice. Tous ces élans de transcendance vers les grands ensembles politiques, religieux ou cosmologiques ne remplaceront jamais l'enracinement ; complémentaires, ils enrichiraient ; seuls, ces élans font du Canadien français une «personne déplacée». Je suis moi-même cet homme «typique», errant, exorbité, fatigué de mon identité atavique et condamné à elle.*
>
> Hubert Aquin, « La fatigue culturelle du Canada français »
> dans *Liberté* (1962)

20. Un an après la sortie du retentissant *Anna braillé ène shot* de Georges Dor paraît *États de langue, états d'âme : essai sur le français parlé au Québec* de Marty Laforest. Dans cet ouvrage, une équipe de chercheurs en linguistique démystifie la procès du joual. Marty Laforest déplore entre autres la mauvaise réputation de notre français québécois.

> *Dor pleure sur son peuple qui, dit-il, n'a plus de langue. Ce qui me fait non pas pleurer mais rager, pour ma part, c'est l'image désespérément négative que les Québécois ont de leurs mots, c'est de voir un grand nombre d'entre eux convaincus, à force de se le faire répéter par tous les Georges Dor du pays, que nulle part ailleurs dans le monde on ne parle aussi mal.*
>
> Marty Laforest, *États de langue, états d'âme :*
> *essai sur le français parlé au Québec*, Nuit blanche, 1997.

D'après vous, l'auteur a-t-il raison de dénoncer l'essai de Georges Dor ? Expliquez votre réponse.

ANNEXES

BIBLIOGRAPHIE

Angenot, Marc. *La Parole pamphlétaire : contribution à la typologie des discours modernes*, Paris, Payot, 1982.

Caumartin, Anne et Martine-Emmanuelle Lapointe. *Parcours de l'essai québécois : 1980-2000*, Québec, Nota bene, coll. » Essais critiques », 2004.

Chassay, Jean-François. *Anthologie de l'essai au Québec depuis la Révolution tranquille*, Montréal, Boréal, 2003.

Dion, Robert, Anne-Marie Clément et Simon Fournier. *Les « Essais littéraires » aux éditions de l'Hexagone (1988-1993), radioscopie d'une collection*, Québec, Nota bene, coll. « Séminaires », 2000.

Dumont, François. » L'essai littéraire québécois des années 1980 : la collection "Papiers collés"» , *Recherches sociographiques*, vol. XXXIII, n° 2, mai-août 1992.

Dumont, François (dir.). *La Pensée composée, formes du recueil et constitution de l'essai québécois*, Québec, Nota bene, coll. « Les cahiers du CRELIQ », 1999.

Dumont, Micheline et Louise Toupin. *La pensée féministe au Québec. Anthologie [1900-1985]*, Montréal, Éditions du remue-ménage, 2003.

Glaudes, Pierre et Jean-François Louette. *L'Essai*, Paris, Hachette, coll. « Contours littéraires », 1999.

Mailhot, Laurent (avec la collaboration de Benoît Melançon). *Essais québécois 1837-1983*, Montréal, Hurtubise HMH, 1984.

Mailhot, Laurent. *L'essai québécois depuis 1845*, Montréal, Hurtubise HMH, 2005.

Ricard, François. « L'essai », *Études françaises*, vol. XIII, n°s 3-4, octobre 1977.

Rioux, Marcel. *Les Québécois*, Paris, Seuil, coll. « Le temps qui court », 1974.

Prud'homme, Nathalie. « Vacuum de subventions », Dossier : La véritable aventure des revues d'idées, *Possibles*, vol. 30, n°s 3-4, été-automne 2006.

Przychodzen, Janusz. *Un projet de liberté. L'essai littéraire au Québec, 1970-1990*, Québec, Institut québécois de recherche sur la culture, 1993.

Vigneault, Robert. « L'essai québécois : préalables théoriques », *Voix et Images*, vol. VIII, n° 2, hiver 1983.

Wyczynski, Paul (dir.). *L'Essai et la Prose d'idées au Québec*, Montréal, Fides, coll. » Archives des lettres canadiennes », 1985.

FILMOGRAPHIE

Arcand, Denys. *On est au coton*, Office national du film du Canada, 1970 (version non censurée en 2004), 159 min.

Arcand, Denys. *Québec : Duplessis et après…*, Office national du film du Canada, 1972, 114 min.

Arcand, Denys. *Le confort et l'indifférence*, Office national du film du Canada, 1981, 108 min.

Brault, Michel et Pierre Perrault. *Pour la suite du monde*, Office national du film du Canada, 1962, 105 min.

Brault, Michel. *Les ordres*, Office national du film du Canada, 1974, 107 min.

Desjardins, Richard. *L'Erreur boréale*, Office national du film du Canada, 1999, 68 min.

Falardeau, Pierre et Julien Poulin. *Speak white*, Office national du film du Canada, 1980, 6 min.

Falardeau, Pierre. *Le temps des bouffons*, 1993, 15 min.

Falardeau, Pierre. *Octobre*, ACPAC/ONF, 1994, 96 min.

Falardeau, Pierre. *15 février 1839*, Christal Films, 2001, 115 min.

Groulx, Gilles. *Golden Gloves*, Office national du film du Canada, 1961, 27 min.

Groulx, Gilles. *Le chat dans le sac*, Office national du film du Canada, 1964, 73 min.

Groulx, Gilles. *24 heures ou plus*, Office national du film du Canada, 1973, 113 min.

Jean, Marcel. *L'Essai : écrire pour penser*, Synercom Téléproductions/INRS, 1999, 53 min.

Latulippe, Hugo. *Bacon, le film*, Office national du film du Canada, 2001, 82 min.

Perrault, Pierre. *Les voitures d'eau*, Office national du film du Canada, 1968, 110 min.

Perrault, Pierre. *Un pays sans bon sens !*, Office national du film du Canada, 1970, 117 min.

Poirier, Anne Claire. *Mourir à tue-tête*, Office national du film du Canada, 1979, 96 min.

Poirier, Anne Claire. *Tu as crié LET ME GO*, Office national du film du Canada, 1996, 96 min.

Morin, Robert. *Yes Sir ! Madame*, Coop vidéo, 1994, 75 min.

Morin, Robert. *Petit Pow ! Pow ! Noël*, F pour Films/Coop vidéo, 2005, 91 min.

SOURCE DES IMAGES

Page de couverture, Marcelle Ferron, signataire du Refus global, n° 64, 1973, Musée des Beaux-Arts du Québec • Page 6, Archives nationales du Canada • P. 8-9, © Musée McCord • P. 16, Archives nationales du Canada © C.W. Jefferys Estate • P. 18, Archives nationales du Canada © C.W. Jefferys Estate • P. 19, Division des archives, Université de Montréal, Collection Adine Baby-Thompson (P0059). FG75. Peter Francis Xavier de Charlevoix. S.J. • P. 21, © Musée McCord • P. 22, Histoire des Canadiens-français, 1608-1880, par Benjamin Sulte Montréal, Wilson & cie, éditeurs, 1882-1884, 8 vol. Tirée des collections de Bibliothèque et Archives nationales du Québec: © Bibliothèque et Archives nationale du Québec 2002-2006. • P. 24, Archives photographiques Notman, Musée McCord, Montréal • P. 26, © Musée McCord, Don de Mr. David Ross • P. 27, Bibliothèque et Archives nationales du Québec. Direction du centre de Montréal. Fonds Famille Mercier. P74,S10,P6 • P. 32, Bibliothèques et Archives Canada, C-069096 • P. 33, Ville de Montréal. Gestion de documents et archives • P. 36, Ville de Montréal. Gestion de documents et archives • P. 39, Division des archives de l'Université Laval, U506/33 • P. 40, © Musée McCord, Don de Mrs. E. T. Zintelis • P. 41, Ville de Montréal. Gestion de documents et archives • P. 46, Ville de Montréal. Gestion de documents et archives • P. 48-49, Société canadienne du microfilm • P. 56, Ville de Montréal. Gestion de documents et archives • P. 58, Division des archives, Université de Montréal, Fonds Jean Bruchési (P0057). 1FP06851. Thomas Chapais. – 1887 • P. 61, Musée de la civilisation, fonds d'archives du Séminaire de Québec. Adolphe Basile Routhier 1839-1920. Non daté. Ph1988-1944 • P. 69, Musée de la civilisation, fonds d'archives du Séminaire de Québec. Jules-Paul Tardivel 1851-1905. Non daté. Ph1988-2107 • P. 71, Bibliothèque et Archives Canada, C-009092 • P. 74, Bibliothèque et Archives Canada, C-019195 • P. 76, Musée de la civilisation, fonds d'archives du Séminaire de Québec. Mgr Camille Roy. Michel. 1942. Ph1990-0416 • P. 79, Ville de Montréal. Gestion de documents et archives • P. 81, Fédération des femmes du Québec • P. 84-85, © Carmen Perron • P. 92, Succession Paul-Émile Borduas. Photographe, Janine Niepce • P. 101, Centre de recherche Lionel-Groulx. Photographe, Albert Dumas • P. 103, Archives des Frères Maristes, Château-Richer • P. 106, Desbiens, Jean-Paul, *Les insolences du Frère Untel*, Montréal, Les Éditions de l'Homme, 1988 (page de couverture) • P. 107, photo © Kèro • P. 111, photo © Josée Lambert • P. 115, photo © Kèro • P. 120, photo © Kèro • P. 128, photo © Kèro • P. 133, photo Jacques Lavallée • P. 114, Société canadienne du microfilm • P. 132, akg-images/Denise Bellon • P. 137, Presse canadienne • P. 138, Bernard Brault, *La Presse* • P. 146, photo Jacques Lavallée • P. 149, Presse Canadienne • P. 156, © Martine Doyon • P. 161, Associated Press • P. 166, © Anne Marcoux • P. 171, Presse Canadienne • P. 174, © Ronald Maisonneuve • P. 177, © Guillaume Barbès • P. 179, *The Adoration*, 2006 (acrylic on canvas) by Crook, P.J. (b.1945) © Private Collection/The Bridgeman Art Library. Courtesy Loch Gallery, Toronto • P. 180, © Yves Médan • P. 181, © Tous droits réservés • P. 183, © Underwood & Underwood/CORBIS • P. 184, *La Presse* • P. 187, *The Birth of Venus*, 1879 (oil on canvas) by William-Adolphe Bouguereau (1825-1905) © Musée d'Orsay, Paris, France/The Bridgeman Art Library • P. 188-189, © Archivo Iconografico, S.A./CORBIS • P. 210-211, Société canadienne du microfilm.

SOURCE DES EXTRAITS

P. 16 ; Baron de La Hontan, « L'envoi des filles publiques de France en ce pays-là, son climat et son terrain », *Nouveaux voyages de M. le Baron de La Hontan dans l'Amérique septentrionale*, La Haye, Les frères L'Honoré, 1704, p. 9-13.

P. 19 ; Pierre-François-Xavier de Charlevoix, « Les Canadiens », *Journal historique*, Paris, Nyon, 1944.

P. 22 ; Étienne Parent, « Défense du journalisme », *Le Canadien*, 7 mai 1831.

P. 24 ; Louis Joseph Papineau, « Discours de Saint-Laurent » (prononcé le 15 mai 1837), *La Minerve*, 25 et 29 mai 1837.

P. 27 ; Les Fils de la Liberté, « Manifeste », *Le Canadien*, 4 octobre 1837.

P. 33 ; Chevalier De Lorimier, *Testament patriotique* (lettre du 14 février 1839), conservée aux Archives nationales du Québec, à Québec, cote P1000, S3, D1806.

P. 36 ; François-Xavier Garneau, *Histoire du Canada*, Québec, N. Aubin imprimeur, 1845-1852, p. 9-12 (Discours préliminaire).

P. 39 ; Henri-Raymond Casgrain, « Rôle de notre littérature », *Œuvres complètes*, Tome I, Montréal, Beauchemin et Valois, 1884, p. 368-370.

P. 41 ; Arthur Buies, « Cléricalisme et théocratie », *Lettres sur le Canada ; étude sociale*, Montréal, John Lovell, 1864, p. 20-23.

P. 46 ; Octave Crémazie, *Lettre à l'abbé Casgrain sur la littérature* (29 janvier 1867).

P. 56 ; Adolphe Routhier, « Notre littérature en 1870 », *Portraits et pastels littéraires*, Québec, Léger Brousseau, 1873.

P. 58 ; Thomas Chapais, « Littérature vivante et héroïque » (1889), *Lectures littéraires*, Frères de l'Instruction chrétienne, La Prairie, 1954, p. 410-413.

P. 61 ; Adolphe Routhier, « Les grands revenants », *Conférences et discours*, Montréal, Beauchemin, 1925, p. 103-109.

P. 69 ; Jules-Paul Tardivel, « Le rôle du journal », *Mélanges I*, Québec, Impr. de la Vérité, 1887.

P. 71 ; Henri Bourassa, *La langue gardienne de la foi* (conférence prononcée le 20 novembre 1918 à Montréal), Montréal, Bibliothèque de l'Action française, 1918.

P. 74 ; Lionel Groulx, « La naissance d'une race », *Journal Le Jour*, 24 juin 1977.

P. 76 ; Mgr Camille Roy, « Notre littérature en service national », *Études et croquis. Pour faire mieux aimer la patrie*, Montréal/New York, Éditions du Mercure, 1928, p. 102-106.

P. 79 ; Olivar Asselin, « L'agneau national », *Pensée française*, Éditions de l'ACF, 1937.

P. 81 ; Idola Saint-Jean, « Le rôle social du féminisme », *La Sphère féminine*, 1937, p. 13-17.

P. 92 ; Paul-Émile Borduas, « Manifeste du Refus global », *Écrits*, Presses de l'Université de Montréal, 1987-1997.

P. 101 ; André Laurendeau, « La langue que nous parlons », *Le Devoir*, 21 octobre 1959.

P. 103 ; Jean-Paul Desbiens, *Les insolences du Frère Untel*, Montréal, Les Éditions de l'Homme, 1960, p. 23-26.

P. 107 ; Pierre Vadeboncoeur, « Réflexions sur la foi », *La ligne du risque*, Montréal, Édition Hurtubise HMH, coll. « Constantes », 1963.

P. 111 ; Gérald Godin, « Le joual et nous », *Parti pris*, janvier 1965, p. 18-19.

P. 115 ; Pierre Vallières, *Nègres blancs d'Amérique*, Typo, 1994. © 1994 Éditions Typo et succession Pierre Vallières.

P. 120 ; © Jean Marcel, « Ulysse linguiste » et « Ulysse soldat », *Le joual de Troie*, Montréal, Éditions du Jour, 1973.

P. 128 ; Louky Bersianik, *L'Euguélionne*, Montréal, Éditions La Presse, 1976, p. 252-257.

P. 133 ; René Lévesque, « Déclaration du premier ministre du Québec à l'Assemblée nationale le 10 octobre 1978 », *La Passion du Québec*, Montréal, Québec/Amérique, 1978, p. 11-19.

P. 146 ; Hélène Pedneault, « Y a-t-il une vraie femme dans la salle ? ou Real Woman, Real Muffin », *Chroniques délinquantes de La vie en rose*, Montréal, VLB, 1988.

P. 149 ; © Mordecai Richler Et Les Éditions Balzac, *Oh Canada ! Oh Québec ! Requiem pour un pays divisé*, Montréal, 1992, p. 61-70.

P. 156 ; François Ricard, *La génération lyrique*, Montréal, Les Éditions du Boréal, coll. « Boréal Compact », 1994, p. 95-103.

P. 161 ; Pierre Elliott Trudeau, *Mémoires politiques*, Montréal, Le Jour éditeur, 1993, p. 245-256.

P. 166 ; Neil Bissoondath, *Le marché aux illusions*, Montréal, Les Éditions du Boréal, 1995, p. 197-201.

P. 171 ; Georges Dor, *Anna braillé ène shot (Elle a beaucoup pleuré)*, Montréal, Lanctôt éditeur, 1996, p. 37-44.

P. 174 ; Fernand Dumont, *Raisons communes*, Montréal, Les Éditions du Boréal, coll. « Boréal Compact », 1997, p. 103-105.

P. 177 ; Suzanne Jacob, « Des images de synthèse », *La bulle d'encre*, PUM et Boréal, p. 24-26.

P. 180 ; Bernard Arcand et Serge Bouchard, *De la fin du mâle, de l'emballage et autres lieux communs*, Montréal, Les Éditions du Boréal, 1996, p. 107-109 et 113-115.

P. 184 ; Pierre Foglia, « La féminité inouïe », *La Presse*, 7 mai 2005.